Guide pratique
de conversation

ITALIEN

Collection dirigée par
Guillaume de la Rocque

Pierre Ravier   Werner Reuther

GUIDE PRATIQUE
DE CONVERSATION
ITALIEN

Traduction de Simonetta Greggio

Le Livre de Poche

SOMMAIRE

COMMENT UTILISER CE GUIDE

Ce guide de conversation est destiné à toutes les personnes désirant se rendre en Italie et qui ne maîtrisent pas la langue italienne. Il a été conçu de façon à faciliter les relations essentielles de la vie quotidienne. Plusieurs milliers de mots, de phrases et de formes syntaxiques permettront au lecteur de s'exprimer dans la plupart des cas susceptibles de se présenter à lui au cours de son voyage.

L'OUVRAGE COMPREND :

- **Un abrégé de grammaire** précisant quelques règles de la langue italienne.
- **Un code de prononciation** facilement utilisable et sans lequel le lecteur de ce guide risquerait de ne pas toujours être compris par ses interlocuteurs.
- **Un guide pratique d'utilisation de la langue** constitué de 6 grands chapitres rassemblant des thèmes présentés dans l'ordre alphabétique.
- **Un dictionnaire** de plus de 2 000 mots.
- **Un index** facilitant la recherche des rubriques.

EXEMPLE D'UTILISATION DU MANUEL

Le lecteur désire acheter un costume :
1. Il pourra trouver le mot dans le Dictionnaire (page 181).
2. Il pourra consulter le thème « Habillement » dans le chapitre « Achats ». Si le mot « habillement » ne lui vient pas immédiatement à l'esprit, le lecteur trouvera également le renvoi à cette rubrique dans l'*index*, aux mots « vêtements » et « prêt-à-porter ». La consultation de la rubrique « Habillement » présente l'avantage, par rapport au dictionnaire, de faciliter la formulation de la demande par l'emploi de phrases toutes prêtes et de mots complémentaires figurant en ordre alphabétique et dans le vocabulaire. Le lecteur sera ainsi immédiatement en mesure de nommer le « pantalon », la « veste », le « tissu », la « couleur »... et de formuler ses observations et ses demandes : « Je voudrais un costume coupé suivant ce modèle », « Il faudrait raccourcir les manches », « Puis-je essayer... échanger ? », « Prenez mes mesures... », etc.

ABRÉGÉ DE GRAMMAIRE

Ce mémento grammatical, non exhaustif, se limite à un panorama général de la grammaire italienne qui vous permettra d'élargir vos possibilités d'expression et de satisfaire votre curiosité sur le plan grammatical.
Il faut savoir que dans la langue italienne, de même que dans la langue française, une des principales difficultés réside dans les exceptions aux règles...

L'ARTICLE

Article défini

	Singulier	Pluriel
Masculin (le)	*lo spettacolo*	(les) *gli spettacoli*
	il treno	*i treni*
Féminin (la)	*la rosa*	(les) *le rose*

Article indéfini

	Singulier	Pluriel
Masculin (un)	*uno spettacolo*	(des) *degli spettacoli*
	un treno	*dei treni*
Féminin (une)	*una rosa*	(des) *delle rose*

Le pluriel de l'article indéfini est utilisé couramment depuis une époque récente.
En italien on évite d'utiliser l'article dans le type de phrase suivante :
Bevo (del) vino : je bois du vin.

LE GENRE ET LE NOMBRE

Les noms et les adjectifs qui se terminent en « o » sont généralement masculins :
Il vino : le vin.
L'occhio : l'œil.
Lo spettacolo : le spectacle.
Les noms et les adjectifs qui se terminent en « a » sont généralement féminins.
La spiaggia : la plage
La sabbia : le sable.
Les exceptions sont cependant nombreuses.
Les noms qui se terminent en « i » et en « u » sont féminins :

La gioventù : la jeunesse.
La crisi : la crise.

Le féminin des adjectifs et de beaucoup de noms se forme en remplaçant le « o » par le « a » :

Contento : content ; *contenta* : contente.

Le pluriel se forme en remplaçant « o » par « i » et « a » par « e » :

Cavallo : cheval ; *cavalli* : chevaux.
Rosa : rose ; *rose* : roses.

LES POSSESSIFS

Masculin	Singulier	Pluriel
mon	*il mio*	*i miei*
ton	*il tuo*	*i tuoi*
son	*il suo*	*i suoi*
notre	*il nostro*	*i nostri*
votre	*il vostro*	*i vostri*
leur	*il loro*	*i loro*

Féminin	Singulier	Pluriel
ma	*la mia*	*le mie*
ta	*la tua*	*le tue*
sa	*la sua*	*le sue*
notre	*la nostra*	*le nostre*
votre	*la vostra*	*le vostre*
leur	*la loro*	*le loro*

L'article s'emploie devant un possessif, même adjectif, pour souligner une idée :

Queste valigie sono (le) mie : ces valises sont (à moi) les miennes.

LES DÉMONSTRATIFS

Masculin	*questo*	celui-ci, ce... ci
Féminin	*questa*	celle-ci, cette... ci
Masculin	*quello*	celui-là, ce... là
Féminin	*quella*	celle-là, cette... là

Questo ristorante è eccellente : ce restaurant est excellent.
Quella ragazza è bella : cette fille-là est belle.

LES COMPARATIFS

Positif : *Paola è buona* : Paola est gentille.
Comparatif : *Paola è più buona di Marina* : Paola est plus gentille que Marina.
Superlatif : *Paola è buonissima* : Paola est très bonne.

Certains adjectifs ont des formes irrégulières dérivées du latin. On peut les employer pratiquement indifféremment :

Buono	più buono	migliore
	buonissimo	ottimo
Cattivo	più cattivo	peggiore
	cattivissimo	pessimo
Grande	più grande	maggiore
	grandissimo	massimo
Piccolo	più piccolo	minore
	piccolissimo	minimo

LA NÉGATION

Pour exprimer la négation, il suffit de placer avant le verbe la particule négative « non » :

Sono di Roma / non sono di Roma : je suis romain / je ne suis pas romain.

Non c'è posto : il n'y a pas de place.

LE VERBE

Nous avons exclu les modes et les temps verbaux présentant trop de complexité.

En revanche, nous vous donnons les éléments nécessaires pour que vous puissiez vous exprimer au présent, au passé (composé et imparfait) et au futur en utilisant les verbes réguliers et irréguliers les plus courants. Il y a trois groupes de verbes définis par leur terminaison : ARE, ERE, IRE.

Les différentes personnes (pronoms sujets)

Io	je
Tu	tu
Lui ou lei	il ou elle
Noi	nous
Voi	vous
Loro	Ils

Lorsque vous vous adressez aux personnes que vous ne connaissez pas, employez la troisième personne précédée ou non de « lei ».

Ha del pane ? : vous avez du pain ?

Lei mi può aiutare : vous pouvez m'aider.

Néanmoins, quand on s'adresse au personnel d'un magasin pris collectivement, on peut utiliser la deuxième personne du pluriel. Le pronom « voi » n'est pas nécessaire.

Le présent

Modèle pour les trois groupes réguliers :

	ARE amare (aimer)	ERE credere (croire)
io	amo	credo
tu	ami	credi
egli/ella ou lui/lei	ama	crede
noi	amiamo	crediamo
voi	amate	credete
essi/esse ou loro	amano	credono

	IRE sentire (sentir ou entendre)
io	sento
tu	senti
egli/ella ou lui/lei	sente
noi	sentiamo
voi	sentite
essi/esse ou loro	sentono

Les verbes auxiliaires :

	ESSERE (être)	AVERE (avoir)
io	sono	ho
tu	sei	hai
egli/ella ou lui/lei	è	ha
noi	siamo	abbiamo
voi	siete	avete
essi/esse ou loro	sono	hanno

Quelques verbes irréguliers :

	ANDARE (aller)	BERE (boire)
io	vado	bevo
tu	vai	bevi
egli/ella ou lui/lei	va	beve
noi	andiamo	beviamo
voi	andate	bevete
essi/esse ou loro	vanno	bevono

	CHIEDERE (demander)	SAPERE (savoir)
io	chiedo	so
tu	chiedi	sai
egli/ella ou lui/lei	chiede	sa
noi	chiediamo	sappiamo
voi	chiedete	sapete
essi/esse ou loro	chiedono	sanno

	VOLERE (vouloir)	VENIRE (venir)
io	voglio	vengo
tu	vuoi	vieni
egli/ella ou lui/lei	vuole	viene
noi	vogliamo	veniamo
voi	volete	venite
essi/esse ou loro	vogliono	vengono

Le passé composé

Il se construit avec le présent des auxiliaires *essere* ou *avere* + le participe.

Formation du participe :

Verbe en ARE, remplacer la terminaison par ATO :
sono andato : je suis allé.

Verbe en ERE, remplacer la terminaison par UTO :
ha perduto : il a perdu.

Verbes en IRE, remplacer la terminaison par ITO :
sono partito : je suis parti.

Quelques verbes irréguliers :

fare (faire) :	*fatto*.
dire (dire) :	*detto*.
scrivere (écrire) :	*scritto*.
vedere (voir) :	*visto*.
aprire (ouvrir) :	*aperto*.
coprire (couvrir) :	*coperto*.
rompere (rompre) :	*rotto*.
morire (mourir) :	*morto*.
mettere (mettre) :	*messo*.

L'imparfait

Pour les verbes en ARE, remplacer la terminaison par « AVO ».
Pour les verbes en ERE, remplacer la terminaison par « EVO ».

Pour les verbes en IRE, remplacer la terminaison par « IVO ».

	AMARE (aimer)	CREDERE (croire)	SENTIRE (sentir ou entendre)
io	amavo	credevo	sentivo
tu	amavi	credevi	sentivi
egli/ella ou lui/lei	amava	credeva	sentiva
noi	amavamo	credevamo	sentivamo
voi	amavate	credevate	sentivate
essi/esse ou loro	amavano	credevano	sentivano

Le futur

Pour les verbes en ARE, remplacer la terminaison par « ERÒ » à la première personne.
Pour les verbes en ERE, remplacer la terminaison par « ERÒ » à la première personne.
Pour les verbes en IRE, remplacer la terminaison par « IRÒ » à la première personne.

	AMARE (aimer)	CREDERE (croire)	SENTIRE (sentir ou entendre)
io	amerò	crederò	sentirò
tu	amerai	crederai	sentirai
egli/ella ou lui/lei	amerà	crederà	sentirà
noi	ameremo	crederemo	sentiremo
voi	amerete	crederete	sentirete
essi/esse ou loro	ameranno	crederanno	sentiranno

CODE DE PRONONCIATION

Vous trouverez ci-dessous les lettres de l'alphabet italien suivies de leur transcription phonétique que nous nous sommes efforcés de simplifier le plus possible afin d'en faciliter la lecture. Malgré les variantes phonétiques régionales, le bon usage que vous ferez de ce code vous garantit une parfaite compréhension de la part de vos interlocuteurs, de quelque région d'Italie qu'ils soient.

En italien, l'accent tonique n'est indiqué que s'il se trouve sur la dernière syllabe du mot :

(Exemple : *virtù* [vertu] ; *carità* [charité] ; *bontà* [bonté]). Seul l'usage courant de la langue peut vous familiariser avec lui.

Dans notre transcription phonétique, la lettre ou le groupe de lettres en caractères **gras** indiquent l'accentuation dans le langage parlé. N'hésitez donc pas à appuyer sur les voyelles grasses.

Afin d'éviter la tendance française à la nasalisation, dans les cas du « m » et du « n » devant toutes les consonnes nous avons doublé les signes : m = mm et n = nn.

Lettre	Transcription	Se prononce	Exemple
Voyelles			
a	a	comme en français, mais plutôt long dans les syllabes accentuées	pane = pan**é**
	a	plutôt bref dans les syllabes atones	mattino = mat**ti**no
e	é	En italien, il existe plusieurs sons situés entre le é accent aigu et le è accent grave français. Mais en l'absence de règles bien définies et en raison de la diversité régionale italienne, nous avons opté pour un accent intermédiaire qui vous permettra d'être compris partout. Seule la pratique de la langue per-	me = m**é** facilmente = fatchilm**é**nnté piede = pi**é**dé viene = vi**é**né

Lettre	Transcription	Se prononce	Exemple
Voyelles			
		met de faire vraiment la différence. Cet è (accent droit) a pour objet de signaler l'accentuation du e.	
i	i	comme en français	venire = vènirè
i	ï	se prononce entre deux voyelles ou après une voyelle	noi = noï cuoio = cuoïo
o	o	fermé	colore = colorè
	o	ouvert	fuoco = fouoco giuoco = djouoko
u	ou	comme en français	muro = mouro
Consonnes			
b	b	comme en français	bene = bènè
c	c	devant a, o, u, comme en français	caldo = caldo alcole = alcolè cure = courè
	tch	devant e et i	cento = tchènnto cinema = tchinèma
c + h	k	devant e et i	che = kè chiamare = kiamarè
c + i	tch	devant a, o, u pour indiquer la prononciation « tch »	ciao = tchao cioccolata = tchoccolata ciuffo = tchouffo
d	d	comme en français	dama = dama
f	f	comme en français	fuoco = fouoco
g	g	devant a, o, u comme en français (le u après g est toujours prononcé : guerra = gouerra)	gamba = gammba gola = gola gusto = gousto gente = djènntè gita = djita
g + h	gu	devant e et i	ghepardo = guèpardo ghiaccio = guiatcho
g + i	dj	devant a, o, u pour indiquer la prononciation « dj »	già = dja gioia = djoïa giù = djou

CODE DE PRONONCIATION

Lettre	Trans-crip-tion	Se prononce	Exemple

Consonnes

h		toujours muet	hotel = otel
l	l	comme en français	lotta = **l**otta
m	m	comme en français	mano = **m**ano
n	n	comme en français	no = **n**o
p	p	comme en français	poco = **p**o**c**o
qu	cou	le u après q est toujours pro-noncé	qui = **c**oui
r	r	se prononce roulé, très roulé s'il est doublé	ora = o**r**a torre = to**rr**e
s	s	la prononciation du s varie selon les provinces	sera = sé**r**a scala = scala
t	t	comme en français	tanto = ta**nn**to
v	v	comme en français	vedere = vé**d**éré
z	dz	doux	zero = **dz**éro
	ts	dur	nazione = nat**s**ioné

Doubles consonnes

cc	cc	devant a, o, u comme en français dans « accord »	bocca = bo**cc**a
	tch	devant e et i	accesso = a**tch**èsso accidente = a**tch**idènnté
cc + i	tch	devant a, o, u pour indiquer la prononciation « tch »	ghiaccio = guia**tch**o goccia = go**tch**a
cc + h	k	devant e et i	orecchi = oré**k**i
gg	gg	devant a, o, u et consonnes comme en français dans « aggraver »	aggraffatore = a**gg**raffatoré
	dj	devant e et i	aggettivo = a**dj**èttivo
gg + i	dj	devant a, o, u pour indiquer la prononciation « dj »	paggio = pa**dj**o
gli	ly	devant a, e, o, u se prononce très mouillé	(gli = ly) moglie = mo**ly**é voglio = vo**ly**o
ll	ll	n'est jamais mouillé	allora = a**ll**ora
gn	ny	se prononce doux comme dans « campagne »	agnello = a**ny**èllo

Lettre	Trans- crip- tion	Se prononce	Exemple
Doubles consonnes			
sc	ch	devant e et i	scelto = chèlto sci = chi
sc + i	ch	devant a, o, u pour indiquer la prononciation « ch »	sciampo = chammpo sciolto = cholto sciupare = chuparé
sc + h	sk	devant e et i pour indiquer la prononciation « sk »	schema = skèma schiena = skièna

LES BASES
DE LA CONVERSATION

ÂGE / DATES
età (*èta*) / *date* (*datè*)

Quel **âge** avez-vous ?
Quanti anni ha ?
couannti anni a ?

J'ai vingt et un **ans**... trente ans.
Ho ventun'anni... trenta.
o vènntounanni... trènnta.

J'aurai... **ans** dans... mois.
Avrò... anni tra... mesi.
avro... anni tra... mèsi.

J'ai un **an** de plus que...
Ho un anno più di...
o oun anno piou di...

Quelle **date** sommes-nous ?
Quanti ne abbiamo oggi ?
couannti nè abbiamo odji ?

Il (elle) paraît plus **jeune** que son âge.
Sembra più giovane della sua età.
sèmmbra piou djovanè dèlla soua èta.

Nous sommes le 24 août, **jour** de mon anniversaire.
È il ventiquattro agosto, giorno del mio compleanno.
è il vènnticouattro agosto djorno dèl
mio commplèanno.

SPECTACLE **INTERDIT AUX MOINS DE DIX-HUIT ANS.**
AUX **MINEURS**... AUX ENFANTS DE MOINS DE DIX ANS.
SPETTACOLO VIETATO AI MINORI DI DICIOTTO
ANNI... AI MINORENNI... AI BAMBINI DI MENO DI
DIECI ANNI.
spèttacolo viètato aï minori di ditchotto anni... aï
minorènni... aï bammbini di mèno di diètchi anni.

VOCABULAIRE

Adultes	gli adulti	adoulti
POUR ADULTES	PER ADULTI	pér adoulti
Âge	l'età	éta
Anniversaire	il compleanno	commpléanno
Ans	gli anni	anni
Aujourd'hui	oggi	odji
Centenaire	il centenario	tchénnténario
Date de naissance	la data di nascita	data di nachita
Demain	domani	domani
Hier	ieri	iéri
Jeune	giovane	djované
Jeunesse	la giovinezza	djovinétsa
Jour	il giorno	djorno
Majeur	maggiorenne	madjorénné
Mineur	minorenne	minorénné
Mois	il mese	mésé
Né le (je suis)	nato il (sono)	nato il (sono)
Naissance	la nascita	nachita
Naître	nascere	nachéré
Vieillesse	la vecchiaia	vékiaia
Vieillir	invecchiare	innvékiaré
Vieux	i vecchi, il vecchio	véki, vékio

âge, dates

expressions usuelles

EXPRESSIONS USUELLES
espressioni usuali (èsprèssioni ousouali)

À cause de	a causa di	a caousa di
À côté de	vicino a	vitchino a
À droite	a destra	a dèstra
À gauche	a sinistra	a sinistra
Ainsi	così	cosi
Alors	allora	allora
Ancien	vecchio	vèkio
À peine	appena	appèna
Après	dopo	dopo
Assez	abbastanza	abbastanndza
À travers	attraverso	attravèrso
Au contraire	al contrario	all conntrario
Au-dessous	sotto	sotto
Au-dessus	sopra	sopra
Au milieu de	in mezzo a	in mètso a
Autant	altrettanto	alltrèttannto
Autant que	altrettanto di	alltrèttannto di
Autour	attorno	attorno
Avant	avanti, prima	avannti, prima
Avec	con	conn
Beau	bello	bèllo
Bientôt	presto	prèsto
Bon appétit	buon appetito	bouonn appétito
Bonjour	buongiorno	bouonndjorno
Bon marché	(a) buon mercato	bouonn mèrcato
Bonne nuit	buona notte	bouona nottè
Bonsoir	buona sera	bouona sèra
Ça suffit	basta (così)	basta (cosi)
Car	perchè	perkè
Ce, celle	quello, quella	couèllo, couèlla
Cela m'est égal	è lo stesso	è lo stèsso
Celui-ci, celle-ci	questo, questa	couèsto, couèsta
Ce n'est pas	non è	non è
Cependant	mentre	mènntrè
Certainement	certamente	tchèrtamènntè
C'est	è	è
C'est à elle	è sua	è soua
C'est à lui	è suo	è souo
C'est à moi	è mio	è mio
Cet, cette	questo, questa	couèsto, couèsta
Ceux-ci	questi	couèsti
Chacun	ciascuno	tchascouno

Chaque	ogni	ony
Chaud	caldo	caldo
Cher	caro	caro
Combien	quanto	couannto
Comment	come	comé
Comprends (je)	capisco	capisco
Comprends pas (je ne)	non capisco	non capisco
D'accord	d'accordo	d'accordo
Davantage	di più	di piou
Debout	in piedi	inn pièdi
Dedans	dentro	dènntro
Dehors	fuori	fouori
Déjà	già	dja
Dépêchez-vous	si sbrighi ou sbrigatevi	si sbrigui, sbrigatévi
Depuis	da quando	da couanndo
Derrière	dietro	diètro
Dessous	sotto	sotto
Dessus	sopra	sopra
De temps en temps	di tanto in tanto	di tannto inn tannto
Devant	davanti	davannti
Difficile	difficile	diffitchilé
En arrière	indietro	inndlétro
En avant	avanti	avannti
En bas	in basso	inn basso
En dehors de	in fuori	inn fouori
En effet	effettivamente	éffétivamentè
En face de	di fronte a	di fronntè a
En haut	in alto	inn alto
Est-ce ? N'est-ce pas ?	è ? no vero ?	è ? no vèro ?
Et	e	è
Facile	facile	fatchilé
Faim (j'ai)	ho fame	o famé
Fatigué (je suis)	sono stanco	sono stannco
Faux	falso	falso
Fermé	chiuso	kiouso
Froid	freddo	frèddo
Gentil	gentile	djènntilé
Grand	grande	granndè
Ici	qui	coui
Il y a	c'è	tchè
Il n'y a pas	non c'è	nonn tchè
Importance (sans)	(senza) importanza	sènntsa immportanntsa
Important (c'est)	(è) importante	è immportanntè
Impossible (c'est)	(è) impossibile	è immpossibilé
Jamais	mai	maï
Jeune	giovane	djovanè
Jusqu'à	fino a	fino a

expressions usuelles

expressions usuelles

Juste	giusto	djousto
Là	là	la
Là-bas	laggiù	ladjou
Laid	brutto	broutto
Léger	leggero	lèdjèro
Lequel / laquelle	quale	coualè
Loin	lontano	lonntano
Longtemps	molto tempo	molto tèmmpo
Lourd	pesante	pèsanntè
Maintenant	ora	ora
Malgré	malgrado	malgrado
Mauvais	cattivo	cattivo
Méchant	cattivo	cattivo
Meilleur	migliore	migliorè
Merci beaucoup	grazzie tante	gradziè tanntè
Non	no	no
Nouveau	nuovo	nouovo
Où	dove	dovè
Ou	o	o
Ou bien	oppure	oppourè
Oui	si	si
Ouvert	aperto	apèrto
Par	da ou attraverso	da ou attravèrso
Parce que	perchè	perkè
Par exemple	per esempio	pèr èsèmmpio
Parfois	talvolta	talvolta
Par ici	di qua	di coua
Parmi	tra	tra
Partout	dappertutto	dappèrtoutto
Pas assez	non abbastanza	non abbastanndza
Pas du tout	per niente	pèr niènntè
Pas encore	non ancora	non ancora
Pas tout à fait	non esattamente	non èsattamènntè
Pendant	durante	douranntè
Petit	piccolo	piccolo
Peu	poco	poco
Peut-être	forse	forsè
Pire	peggio	pèdjo
Plusieurs fois	più volte	piou voltè
Pour	per	pèr
Pourquoi	perchè	pèrkè
Pouvez-vous	può	pouo
Près	vicino	vitchino
Presque	quasi	couasi
Probablement	probabilmente	probabilmènntè
Puis-je ?	posso	posso
Quand	quando	couanndo

Quel, quelle	quale	coualé
Quelquefois	qualche volta	coualké volta
Qui ?	chi ?	ki ?
Quoi ?	cosa ?	cosa ?
Quoique	anche se	annké sé
Sans	senza	sénntsa
Sans doute	senza dubbio	sénntsa doubbio
Si	se	sé
S'il vous plaît	per favore	pèr favoré
Sommeil (j'ai)	ho sonno	o sonno
Sous	sotto	sotto
Sous peu	tra poco	tra poco
Sur	sopra	sopra
Tant	tanto	tannto
Tant mieux	meglio così	mèlyo cosi
Tant pis	tanto peggio	tannto pèdjo
Temps (je n'ai pas le)	non ho tempo	nonn o témmpo
Tôt	presto	prèsto
Tout de suite	subito	soubito
Très	molto	molto
Très bien, merci	molto bene, grazie	molto bènè, gradziè
Trop	troppo	troppo
Urgent (c'est)	è urgente	é ourdjénnté
Vers	verso	vèrso
Veux pas (je ne)	non voglio	nonn volyo
Vieux	vecchio	vékio
Vite	veloce	vélotchè
Voici	ecco	ècco
Volontiers	volentieri	volénntièri

expressions usuelles

FAMILLE
famiglia (familya)

VOCABULAIRE

Français	Italien	Prononciation
Adultes	gli adulti	adoulti
Beau-frère	il cognato	conyato
Beau-père	il suocero	souotchèro
Belle-fille	la nuora	nouora
Belle-mère	la suocera	souotchèra
Belle-sœur	la cognata	conyata
Célibataire (masc.)	celibe	tchélibé
– (fém.)	nubile	noubilé
Décès	il decesso	détchèsso
Descendant	il discendente	dichènndénté
Divorce	il divorzio	divortsio
Enfant	il bambino	bammbino
Femme	la donna	donna
– (épouse)	la moglie	molyé
Fiançailles	il fidanzamento	fidanntsaménnto
Fiancé (masc.)	il fidanzato	fidanntsato
– (fém.)	la fidanzata	fidanntsata
Fille	la figlia	filya
Fils	il figlio	filyo
Frère	il fratello	fratéllo
Garçon	il ragazzo	ragadzo
Gendre	il genero	djènéro
Grand-mère	la nonna	nonna
Grand-père	il nonno	nonno
Grands-parents	i nonni	nonni
Homme	l'uomo	ouomo
Mari	il marito	marito
Mariage	il matrimonio	matrimonio
Marié(e)	sposato(a)	sposato(a)
Mère	la madre	madré
Neveu	il nipote	nipoté
Nièce	la nipote	nipoté
Nom	il cognome	conyomè
Oncle	lo zio	dzio
Parents	i genitori	djènitori
Père	il padre	padré
Petite-fille	la nipotina	nipotina
Petit-fils	il nipotino	nipotino
Prénom	il nome	nomé
Sœur	la sorella	sorélla
Tante	la zia	dzia

JOURS FÉRIÉS
giorni festivi (djorni fèstivi)

jours fériés

1er janvier	uno gennaio	ouno djènnaïo
Jour de l'an	il primo dell'anno	primo dèll anno
	Capo d'anno	capo d'anno
6 janvier	sei gennaio	sèi djènnaïo
Épiphanie	Epifania (religieux)	èpifania
	la Befana (profane)	bèfana
Pâques	Pasqua	pascoua
Lundi de Pâques	il lunedì dell'angelo	lounèdi dèll'anndjèlo
25 avril	venticinque aprile	vènntitchinncouè aprilè
Libération	la liberazione	libèratsionè
1er mai	primo maggio	primo madjo
Fête du travail	la festa del lavoro	fèsta dèl lavoro
Pentecôte	la Pentecoste	pènntècostè
15 août	quindici agosto	couinnditchi agosto
Assomption	l'assunzione della Vergine	assounntsionè dèlla vèrdjinè
1er novembre	primo novembre	primo novèmmbrè
Toussaint	Ognissanti	onyssannti
8 décembre	otto dicembre	otto ditchèmmbrè
Immaculée conception	l'Immacolata concezione	immacolata conntchètsionè
25 décembre	venticinque dicembre	vènntitchinncouè ditchèmmbrè
Noël	il Natale	natalè
26 décembre	ventisei dicembre	vènntisèi ditchèmmbrè
	santo Stefano	sannto stèfano

MESURES / DISTANCES
misure (misouré)
distanze (distanndzé)

LONGUEURS	LUNGHEZZE	lounnguétsé
Centimètre	il centimetro	tchénntimétro
Kilomètre	il chilometro	kilométro
Mètre	il metro	métro
Mille marin	il miglio marino	milyo marino

POIDS	PESI	Pési
Gramme	il grammo	grammo
Hectogramme	l'ettogrammo	ettogrammo
Kilogramme	il chilogrammo	kilogrammo
Quintal	il quintale	couinntalé
Tonne	la tonnellata	tonnéllata

SURFACES	SUPERFICI	soupérfitchi
Kilomètre carré	il chilometro quadrato	kilométro couadrato
Mètre carré	il metro quadrato	métro couadrato

VOLUMES	VOLUMI	voloumi
Décalitre	il decalitro	décalitro
Hectolitre	l'ettolitro	éttolitro
Litre	il litro	litro
Mètre cube	il metro cubo	métro coubo
Quart	il quarto di litro	couarto di litro

DIVERS		
Densité	la densità	dénnsita
Épaisseur	lo spessore	spéssoré
Étroit	stretto	strétto
Hauteur	l'altezza	altédza
Large	largo	largo
Largeur	la larghezza	larguétsa
Long	lungo	lounngo
Longueur	lunghezza	lounnguétsa
Profondeur	la profondità	profonndita

NOMBRES
numeri (nou**mé**ri)

nombres

0	zero	t**zé**ro
1	uno	**ou**no
2	due	dou**é**
3	tre	tr**è**
4	quattro	cou**a**ttro
5	cinque	tchinncou**é**
6	sei	s**é**i
7	sette	s**é**tt**é**
8	otto	**o**tto
9	nove	nov**é**
10	dieci	di**é**tchi
11	undici	**ou**nnditchi
12	dodici	d**o**ditchi
13	tredici	tr**è**ditchi
14	quattordici	couatt**o**rditchi
15	quindici	cou**i**nnditchi
16	sedici	s**é**ditchi
17	diciassette	ditchass**é**tt**é**
18	diciotto	ditch**o**tto
19	diciannove	ditchann**o**v**é**
20	venti	v**é**nnti
21	ventuno	v**é**nnt**ou**no
22	ventidue	v**é**nntidou**é**
23	ventitre	v**é**nntitr**è**
24	ventiquattro	v**é**nnticou**a**ttro
25	venticinque	v**é**nntitchinncou**é**
26	ventisei	v**é**nntis**é**i
27	ventisette	v**é**nntis**é**tt**é**
28	ventotto	v**é**nnt**o**tto
29	ventinove	v**é**nntin**o**v**é**
30	trenta	tr**é**nnta
31	trentuno	tr**é**nnt**ou**no
32	trentadue	tr**é**nntadou**é**
40	quaranta	couar**a**nnta
50	cinquanta	tchinncou**a**nnta
60	sessanta	s**é**ss**a**nnta
70	settanta	s**é**tt**a**nnta
80	ottanta	ott**a**nnta
90	novanta	nov**a**nnta
100	cento	tch**é**nnto
200	duecento	dou**è**tch**é**nnto
300	trecento	tr**è**tch**é**nnto

nombres

400	quattrocento	couattrotchénnto
500	cinquecento	tchinncouétchénnto
600	seicento	séitchénnto
700	settecento	séttéchénnto
800	ottocento	ottotchénnto
900	novecento	novétchénnto
1 000	mille	millé
10 000	diecimila	diétchimila
100 000	centomila	tchénntomila
1 000 000	un milione	oun milioné
Premier	primo	primo
Deuxième	secondo	séconndo
Troisième	terzo	tértzo
Quatrième	quarto	couarto
Cinquième	quinto	couinnto
Sixième	sesto	sésto
Septième	settimo	séttimo
Huitième	ottavo	ottavo
Neuvième	nono	nono
Dixième	decimo	détchimo
Demi (1/2)	mezzo	médzo
Tiers (1/3)	un terzo	térdzo
Quart (1/4)	un quarto	couarto
Trois quarts (3/4)	tre quarti	tré couarti
2 pour cent	due per cento	doué pér tchénnto
10 pour cent	dieci per cento	diétchi pér tchénnto

POLITESSE / RENCONTRES
cortesia (cortésia) / incontri (innconntri)

Puis-je vous **accompagner** ?
Posso accompagnarla ?
posso accompanyarla ?

Pourriez-vous m'**aider** à connaître votre région...
votre ville ?
Potrebbe aiutarmi a conoscere la sua regione...
la sua città ?
potrèbbè aioutarmi a conochèrè la soua rèdjonè...
la soua tchitta ?

Vous êtes trop **aimable**.
È molto gentile da parte sua.
è molto djènntilè da partè soua.

J'**aime** beaucoup votre pays.
Il suo paese mi piace molto.
il souo paèsè mi piatchè molto.

Comment vous **appelez**-vous ?
Come si chiama ?
comè si kiama ?

Allons **boire** un verre !
Andiamo a bere un bicchiere !
anndiamo a bèrè oun bikièrè !

Cessez de m'importuner !
La smetta d'importunarmi.
la smètta d'immportounarmi.

Je ne vous **comprends** pas bien.
Non la capisco bene.
nonn la capisco bènè.

Je ne voudrais pas vous **déranger**.
Non vorrei disturbarla.
nonn vorrèï distourbarla.

Je suis **désolé** de ce retard.
Sono spiacente per il ritardo.
sono spiatchènntè pèr il ritardo.

politesse, rencontres

Avez-vous du **feu**, s'il vous plaît ?
Ha da accendere per favore ?
a da atchènndèrè, pèr favorè ?

À quelle **heure** puis-je venir ?
A che ora posso venire ?
a kè ora posso vènirè ?

Heureux de vous connaître.
Sono felice di conoscerla (ou piacere).
sono fèlitchè di conochèrla (ou piatchèrè).

Un **instant**, s'il vous plaît.
Un momento, per favore.
oun momènnto, pèr favorè.

Merci pour cette **invitation**.
Grazie per l'invito.
gradziè pèr l'innvito.

Nous aimerions vous **inviter** à déjeuner... à dîner.
Ci piacerebbe averla a pranzo... a cena.
tchi piatchèrèbbè avèrla a prandzo... a tchèna.

Êtes-vous **libre**, ce soir ?
È libera – libero, stasera ?
è libèra – libèro, stasèra ?

Madame... mademoiselle... monsieur, **parlez**-vous
français ?
Signora... signorina... signore, parla francese ?
sinyora... sinyorina... sinyorè, parla franntchèsè ?

Parlez plus lentement.
Parli più lentamente.
parli piou lènntamènntè.

De quel **pays** venez-vous ?
Da dove viene ?
da dovè viènè ?

Je me **permets** de vous présenter monsieur, madame,
mademoiselle...
Posso presentarle il signore, la signora, la signorina...
posso prèsènntarlè il sinyorè, la sinyora, la sinyorina...

Permettez-moi de me présenter.
Mi permetta di presentarmi.
mi pèrmètta di prèsènntarmi.

Me **permettez-vous** de vous inviter à déjeuner...
à dîner... à danser ?
Mi permette di invitarla a pranzo... a cena...
a ballare ?
mi pèrmèttè di innvitarla a pranndzo... a tchèna...
a ballarè ?

Pourriez-vous **répéter**... me dire... s'il vous plaît ?
Può ripetermi... dirmi... per favore ?
pouo ripètermi... dirmi... pèr favorè ?

Où peut-on se **retrouver** ?
Dove possiamo vederci ?
dove possiamo vèdèrtchi ?

J'espère que nous nous **reverrons**.
Spero che ci rivedremo.
spèro kè tchi rivèdrèmo.

Je suis **seul**, voulez-vous m'accompagner ?
Sono solo, vuol accompagnarmi ?
sono solo, vouol accommpanyarmi ?

Pouvez-vous me laisser votre numéro de **téléphone** ?
Può lasciarmi il suo numero di telefono ?
pòuo lacharmi il souo noumèro di tèlèfono ?

Combien de **temps** restez-vous ?
Quanto tempo resta ?
couannto tèmmpo rèsta ?

Quel beau **temps** ! n'est-ce pas ?
Che bel tempo ! non trova ?
kè bèl tèmmpo ! nonn trova ?

Je n'ai pas le **temps** de vous parler.
Non ho tempo di parlarle.
nonn o tèmmpo di parlarlè.

Depuis combien de **temps** êtes-vous ici ?
Da quanto tempo è qui ?
da couannto tèmmpo è coui ?

Je suis en **vacances**... en **voyage d'affaires**.
Sono in vacanza... in viaggio d'affari.
sono inn vacanndza... inn viadjo d'affari.

VOCABULAIRE

politesse, rencontres

À bientôt	a presto	a prèsto
À ce soir	a stasera	a stasèra
À demain	a domani	a domani
Adieu	addio	addio
Aider	aiutare	aioutarè
Aimerais (j')	mi piacerebbe	piatchèrèbbè
Asseyez-vous	si sieda	si sièda
Attendez-moi	aspetti	aspètti
Au revoir	arrivederci	arrivèdèrtchi
Avec plaisir	con piacere	conn piatchèrè
À votre service	a sua disposizione	a soua disposítsionè
Beau	bello	bèllo
Belle	bella	bèlla
Bien	bene	bènè
Boire	bere	bèrè
Bon	buono	bouono
Bon appétit	buon appetito	bouon appètito
Bonjour madame	buongiorno signora	bouonndjorno sinyora
– mademoiselle	– signorina	– sinyorina
– monsieur	– signore	– sinyorè
Bonne nuit	buona notte	bouona nottè
Bonsoir	buona sera	bouona sèra
Ça va	va bene	va bènè
Certainement	certamente	tchèrtamènntè
C'est délicieux	é delizioso	è dèlitsioso
C'est merveilleux	é meraviglioso	è mèravilyoso
C'est possible	é possibile	è possibilè
Chaud (j'ai)	ho caldo	kaldo
Comment allez-vous ?	come sta ?	comè sta ?
Bien, merci, et vous ?	bene, grazie, e lei ?	bènè, gradziè, è lèï ?
Comprendre	capire	capirè
Déjeuner	pranzare	pranndzarè
De rien	di niente	di niènntè
Dîner	cenare	tchènarè
Dormir	dormire	dormirè
Enchanté	tanto piacere	tannto piatchèrè
En retard	in ritardo	inn ritardo
Entrez, je vous prie	entri, la prego	ènntri, la prègo
Excusez-moi	mi scusi	mi scousi
Faim (j'ai)	ho fame	famè
Fatigué (je suis)	sono stanco	stannco
Froid (j'ai)	ho freddo	frèddo
Heureux	felice	fèlitchè
Instant	attimo	attimo
Invitation	invito	innvito

Français	Italien	Prononciation
Inviter	invitare	innvitarè
Mal	male	malè
Merci	grazie	gradziè
– beaucoup	molte grazie	moltè gradziè
Non	no	no
Oui	si	si
Pardon	scusi	scousi
Parler	parlare	parlarè
Perdu (je suis)	mi sono perso	pèrso
Permettez-moi	mi permetta	mi pèrmètta
Peut-être	forse	forsè
Pourquoi ?	perché	pèrkè
Pourriez-vous	può	pouo
Présenter	presentare	présènntarè
Pressé (je suis)	ho fretta	o frètta
Quand ?	quando ?	couanndo ?
Quelle heure (à) ?	a che ora ?	a kè ora ?
Regretter	spiacersi	spiatchèrsi
S'il vous plaît	per favore	pèr favorè
Soif (j'ai)	ho sete	sètè
Sommeil (j'ai)	ho sonno	sonno
Très bien	molto bene	molto bènè
Visiter	visitare	visitarè
Volontiers	volentieri	volènntièri
Voudrais (je)	vorrei	vorrèï

politesse, rencontres

TEMPS (CLIMAT)
tempo (tèmmpo) / *clima* (clima)

Quel temps va-t-il faire aujourd'hui ?
Che tempo farà oggi ?
kè tèmmpo fara odji ?

Il va faire **beau** et **froid**... **beau** et **chaud**.
Farà bello e freddo... bello e caldo.
fara bèllo è frèddo... bèllo è caldo.

Il fait **chaud** et **lourd**.
Fa caldo e afoso.
fa caldo è afoso.

Le **ciel** est **clair**.
Il cielo è chiaro.
il tchèlo è kiaro.

Les routes sont **gelées**.
Le strade sono ghiacciate.
lè stradè sono guiatchatè.

Il va **pleuvoir**... **neiger**.
Pioverà... nevicherà.
piovèra... nèvikèra.

La **pluie**... l'**orage** menace.
La pioggia... il temporale sta per venire.
la piodja... il tèmmporalè sta pèr vènirè.

VOCABULAIRE

Air	l'aria	aria
Averse	l'acquazzone	acouadzonè
Beau	bello	bèllo
Bleu	blu	blou
Brille	brilla	brilla
Brouillard	la nebbia	nèbbia
Brume	la bruma	brouma
Chaleur	il calore	calorè
Chaud	caldo	caldo
Ciel	il cielo	tchèlo
Clair	chiaro	kiaro
Climat	il clima	clima

Couvert	coperto	copèrto
Dégagé	scoperto / chiaro	scopèrto / kiaro
Éclair	il lampo	lammpo
Éclaircie	la schiarita	skiarita
Frais	fresco	frèsco
Froid	freddo	frèddo
Gèle (il)	gela	djèla
Gelé(e)	gelato(a)	djèlato(a)
Glace	il ghiaccio	guiatcho
Grêle	la grandine	granndinè
– (il)	grandina	granndina
Gris	grigio	gridjo
Humide	umido	oumido
Mouillé(e)	bagnato(a)	banyato(a)
Neige	la neve	nèvè
– (il)	nevica	nèvica
Nuage	la nuvola	nouvola
Nuageux	nuvoloso	nouvoloso
Orage	il temporale	tèmmporalè
Parapluie	l'ombrello	ombrèllo
Pluie	la pioggia	piodja
Pluvieux	piovoso	piovoso
Sec	secco	sècco
Soleil	il sole	solè
Sombre	scuro	scouro
Température	la temperatura	tèmmpèratoura
Tempéré	temperato	tèmmpèrato
Tempête	la tempesta	tèmmpèsta
Temps (beau)	il bel tempo	bèl tèmmpo
– (mauvais)	il cattivo tempo	cattivo tèmmpo
– variable	tempo variabile	tèmmpo variabilè
Tonnerre	il tuono	touono
Tropical	tropicale	tropicalè
Vent	il vento	vènnto
Vente (il)	c'é vento	tchè vènnto
Verglacé(e)	ghiacciato(a)	guiatchato(a)
Verglas	il ghiaccio	guiatcho

temps (climat)

TEMPS (DURÉE)
tempo (**tè**mmpo) / *durata* (**dou**rata)

Quelle heure est-il ?
Che ore sono ?
kè orè sono ?

Il est quatre heures... et quart... et demie... moins
le quart.
Sono le quattro... e un quarto... e mezzo... meno
un quarto.
sono lè couattro... è oun couarto... è mèdzo... mènno
oun couarto.

Depuis une heure... huit heures du matin... deux jours...
une semaine.
Da un'ora... dalle otto di mattina... da due giorni...
da una settimana.
da oun'ora... dallè otto di mattina... da douè djorni...
da ouna sèttimana.

Combien de temps **dure** la représentation... le trajet ?
Quanto tempo dura la rappresentazione...
il tragitto ?
couannto tèmmpo doura la rapprèsènntatsionè...
il tradjitto ?

Cette horloge marque-t-elle l'**heure exacte** ?
Questo orologio è esatto ?
couèsto orolodjo è èsatto ?

Pendant la **matinée**... la **soirée**... la **journée**.
Durante la mattinata... la serata... la giornata.
douranntè la mattinata... la sèrata... la djornata.

Pendant combien de temps ?
Per quanto tempo ?
pèr couannto tèmmpo ?

Prenons **rendez-vous** pour... à...
Appuntamento per... a...
appunntamènnto pèr... a...

De **temps en temps**.
  Di tanto in tanto.
  di tannto inn tannto.

temps (durée)

VOCABULAIRE

Français	Italien	Prononciation
Année	l'anno	anno
– bissextile	– bisestile	– bisèstilè
– dernière	– scorso	– scorso
– prochaine	– prossimo	– prossimo
Après	dopo	dopo
Après-demain	dopodomani	dopodomani
Après-midi	il pomeriggio	pomèridjo
Attendre	aspettare	aspèttarè
Aujourd'hui	oggi	odji
Automne	l'autunno	aoutounno
Autrefois	una volta	ouna volta
Avancer	avanzare	avanntsarè
Avant	prima	prima
Avant-hier	l'altro ieri	altro ièri
Avenir	il futuro	foutouro
Calendrier	il calendario	calènndario
Changement d'heure	il cambiamento orario	cammbiamènnto orario
Commencement	inizio	initsio
Date	la data	data
Délai	la proroga	proroga
Demi-heure	mezz'ora	médzora
Depuis	da	da
Dernier	ultimo	oultimo
Été	l'estate	éstatè
Éternité	l'eternità	étérnita
Fin	la fine	finè
Futur	il futuro	foutouro
Heure	l'ora	ora
– d'été	– d'estate	– d'éstatè
– d'hiver	– d'inverno	– d'innvèrno
Hier	ieri	ièri
Hiver	l'inverno	innvèrno
Instant	l'istante	istanntè
JOUR	GIORNO	djorno
Lundi	lunedì	lounèdi
Mardi	martedì	martèdi
Mercredi	mercoledì	mèrcolèdi
Jeudi	giovedì	djovèdi
Vendredi	venerdì	vènèrdi
Samedi	sabato	sabato
Dimanche	domenica	domènica

temps (durée)

Français	Italien	Prononciation
Jour férié	il giorno festivo	djorno fèstivo
– ouvrable	– feriale	– fèrialè
Matin	il mattino	mattino
Midi	il mezzogiorno	mèdzodjorno
Milieu	il centro	tchènntro
Minuit	la mezzanotte	mèdzanottè
Minute	il minuto	minouto
MOIS	MESE	mésè
Janvier	gennaio	djènnaio
Février	febbraio	fébbraio
Mars	marzo	mardzo
Avril	aprile	aprilè
Mai	maggio	madjo
Juin	giugno	djounyo
Juillet	luglio	loulyo
Août	agosto	agosto
Septembre	settembre	sèttèmmbrè
Octobre	ottobre	ottobrè
Novembre	novembre	novèmmbrè
Décembre	dicembre	ditchèmmbrè
Moment	il momento	momènnto
Nuit	la notte	nottè
Passé	il passato	passato
Passer le temps	passare il tempo	passarè il tèmmpo
Présent	il presente	prèsènntè
Printemps	la primavera	primavèra
Quand	quando	couanndo
Quart d'heure	il quarto d'ora	couarto d'ora
Quinzaine	quindicina	couinnditchina
Quotidien	il quotidiano	couotidiano
Retard	il ritardo	ritardo
Retarder	ritardare	ritardarè
Saison	la stagione	stadjonè
Seconde	il secondo	sèconndo
Semaine	la settimana	sèttimana
– dernière	– scorsa	– scorsa
– prochaine	– prossima	– prossima
Siècle	il secolo	sècolo
Soir	la sera	sèra
Soirée	la serata	sèrata
Tard	tardi	tardi
Tôt	presto	prèsto
Veille	la vigilia	vidjilia
Vite	presto	prèsto
Week-end	il fine settimana	finè sèttimana

EN CAS DE PROBLÈME

POLICE
polizia (poli**ts**ia)

Où est le commissariat de police le plus proche ?
Dov'è il commissariato di polizia più vicino ?
*dov'è il commissariato di polit**s**ia piou vitchino ?*

Pouvez-vous m'aider ?
Può aiutarmi ?
pouo aioutarmi ?

C'est **arrivé** à l'hôtel... dans ma chambre... dans la rue... dans ma voiture... ce matin... cette nuit... hier... maintenant...
È successo in albergo... in camera mia... in strada... nella mia auto... stamattina... stanotte... ieri... proprio ora...
*e soutch**è**sso inn alb**è**rgo... inn cam**è**ra mia... inn strada... n**è**lla mia aouto... stamattina... stanott**è**... i**è**ri... proprio ora...*

Je voudrais faire une **déclaration** de perte... de vol...
Vorrei denunciare una perdita... un furto...
*vorr**è**ï d**è**nountchar**è** ouna p**è**rdita... oun fourto...*

On m'a volé... j'ai **perdu**... mon sac... mes papiers... mon passeport... ma valise... ma voiture... mon appareil photo...
Mi hanno rubato... ho perso... la mia borsa... i documenti... il mio passaporto... la mia valigia... l'auto... la macchina fotografica...
*mi anno roubato... o p**è**rso... la mia borsa... i docoum**è**nnti... il mio passaporto... la mia validja... l'aouto... la makkina fotografica...*

Je veux **porter plainte**.
Vorrei sporgere denuncia.
*vorr**è**ï spordj**è**r**è** d**è**nountcha.*

On a **volé** dans ma voiture.
Hanno rubato nella mia auto.
*anno roubato n**è**lla mia aouto.*

police

VOCABULAIRE

Abîmer	danneggiare	dannèdjarè
Accident	l'incidente	inntchidènnté
Accuser	accusare	accousarè
Agent de police	l'agente di polizia	adjènnté di politsia
Agression	l'aggressione	aggrèssionè
Ambassade	l'ambasciata	ammbachata
Amende	la multa	moulta
Appareil photo	la macchina fotografica	makkina fotografica
Argent	i soldi	soldi
Assurance	l'assicurazione	assicouratsionè
Avocat	l'avvocato	avvocato
Bijoux	i gioielli	djoïèlli
Certifier	certificare	tchèrtificarè
Collier	la collana	collana
Commissaire de police	commissario di polizia	commissario di politsia
Condamner	condannare	conndannarè
Consulat	il consolato	connsolato
Contravention	la multa	moulta
Déclaration	la dichiarazione	dikiaratsionè
Défendre	difendere	difènndèrè
Drogue	la droga	droga
Enquête	l'inchiesta	innkièsta
Erreur	l'errore	èrrorè
Examiner	esaminare	èsaminarè
Expertise	la perizia	pèritsia
Fracturer	scassinare	scassinarè
Innocent	l'innocente	innotchènnté
Menacer	minacciare	minatcharè
Nier	negare	nègarè
Passeport	il passaporto	passaporto
Perte	la perdita	pèrdita
Poche	la tasca	tasca
Portefeuille	il portafoglio	portafolio
Procès	il processo	protchèsso
Procès-verbal	il verbale	vèrbalè
Responsable	il responsabile	rèsponnsabilè
Sac	la borsa	borsa
Saisir	afferrare	affèrrarè
Secours	il soccorso	soccorso
Témoin	il testimone	tèstimonè
Valise	la valigia	validja
Voiture	l'auto	aouto
Vol	il furto	fourto
Voleur	il ladro	ladro

santé

SANTÉ
salute (sal**ou**tè)

J'ai une **allergie** à...
Ho un'allergia a...
o oun'allèrdjia a...

Faites venir une **ambulance** !
Fate venire un'ambulanza !
fatè vènirè oun'ammboulanndza.

Voulez-vous **appeler** un médecin ?
Vuol chiamare un medico ?
vouol kiamarè oun mèdico ?

Je ne connais pas mon **groupe sanguin**.
Non conosco il mio gruppo sanguigno.
nonn conosco il mio grouppo sanngouinyo.

Mon **groupe sanguin** est...
Il mio gruppo sanguigno è...
il mio grouppo sanngouinyo è...

Je suis (il, elle) **hémophile**.
Sono (è) emofiliaco.
sono (è) èmofiliaco.

Où se trouve l'**hôpital** ?
Dove si trova l'ospedale ?
dovè si trova l'ospèdalè ?

Où est la **pharmacie la plus proche** ?
Dov'è la farmacia più vicina ?
dov'è la farmatchia piou vitchina ?

Je voudrais un **rendez-vous** le plus tôt possible.
Vorrei un appuntamento il più presto possibile.
vorrèï oun appounntamènnto il piou prèsto possibilè.

Envoyez-moi du **secours** !
Mi mandi del soccorso !
mi manndi dèl soccorso !

santé (dentiste)

C'est **urgent** !
È urgente !
è ourdjènntè !

UNITÉS DE SOINS

Cardiologie	cardiologia	cardiolodjia
Chirurgie	chirurgia	kirourdjia
Consultation	consultazione	connsoultatsionè
Dermatologie	dermatologia	dèrmatolodjia
Gastro-entérologie	gastro-enterologia	gastroènntèrolodjia
Gynécologie	ginecologia	djinècolodjia
Infirmerie	infermeria	innfèrmèria
Maternité	maternità	matèrnita
Médecine générale	medicina generale	mèditchina djènèralè
Neurologie	neurologia	nèourolodjia
Obstétrique	ostetricia	ostètritcha
Ophtalmologie	oftalmologia	oftalmolodjia
Oto-rhino-laryngologie	otorinolaringoiatria	otorinolarinngoiatria
Pédiatrie	pediatria	pèdiatria
Pneumologie	pneumologia	pnèoumolodjia
Radiographie	radiografia	radiografia
Soins	cure	courè
Urgences	urgenze	ourdjènntsè
Urologie	urologia	ourolodjia

DENTISTE

dentista (dènntista)

Je voudrais une **anesthésie**.
Vorrei l'anestesia.
vorrèï l'anèstèsia.

Il faut l'**arracher**.
Bisogna levarlo.
bisonya lèvarlo.

Je ne veux pas que vous l'**arrachiez**.
Non voglio che lo leviate.
nonn volyo kè lo lèviatè.

santé (dentiste)

Ouvrez la bouche.
Apra la bocca.
apra la bocca.

Crachez !
Sputi !
spouti !

Cette **dent** bouge.
Questo dente si muove.
couèsto dènntè si mouovè.

J'ai cassé mon **dentier**.
Ho rotto la mia dentiera.
o rotto la mia dènntièra.

Il faut **extraire** la dent.
Bisogna estrarre il dente.
bisonya estrarrè il dènntè.

Ma **gencive** est douloureuse !
La gengiva mi fa male.
la djènndjiva mi fa malè.

J'ai très **mal** en bas... devant... au fond... en haut.
*Ho molto male in basso... davanti... in fondo...
in alto.*
o molto malè inn basso... davannti... inn fonndo...
inn alto.

J'ai **perdu** mon **plombage**... ma couronne.
Ho perso l'otturazione (ou la ceramica)... la corona.
o pèrso l'ottouratsionè (ou la tchèramica)...
la corona.

Rincez-vous !
Si risciacqui la bocca !
si richacoui la bocca !

Je préférerais des **soins provisoires**.
Preferirei delle cure provvisorie.
prèfèrirèï dèllè courè provvisoriè.

VOCABULAIRE

Abcès	l'ascesso	achèsso
Anesthésie	l'anestesia	anèstéria
Appareil	l'apparecchio	apparèkkio
Bouche	la bocca	la bocca
Bridge	il ponte	ponntè
CABINET DE CONSULTATION	lo studio medico	stoudio mèdico
Carie	la carie	cariè
Couronne	la corona	corona
Dent	il dente	dènntè
– de sagesse	– del giudizio	– dèl djouditsio
Dentier	la dentiera	dènntièra
Gencive	la gengiva	djènndjiva
Gengivite	la gengivite	djènndjivitè
Incisive	l'incisivo	inntchisivo
Inflammation	l'infiammazione	innfiammatsionè
Mâchoire	la mascella	machèlla
Molaire	il molare	molarè
Obturer	otturare	ottourarè
Pansement	la medicazione	mèdicatsionè
Piqûre	la puntura	pounntoura
Plombage	l'otturazione	ottouratsionè
Saignement	la perdita di sangue	pèrdita di sanngouè

santé (hôpital/médecin)

HÔPITAL / MÉDECIN

ospedale (ospèdalè) / *medico* (mèdico)

J'ai des coliques... des coups de soleil... des courbatures... de la fièvre... des frissons... des insomnies... la nausée... des vertiges.

> Ho delle coliche... delle scottature dovute al troppo sole... i muscoli indolenziti... la febbre... dei brividi... l'insonnia... la nausea... una sensazione di vertigine, mi gira la testa.

> o dèllè colikè... dèllè scottatourè dovoutè al troppo solè... i mouscoli inndolènntsiti... la fèbbrè... dèi brividi... l'innsonnia... la naousèa... ouna sènnsatsionè di vèrtidjinè...

santé (hôpital/médecin)

Des **analyses** sont nécessaires.
Sono necessarie delle analisi.
sono nètchèssariè dèllè analisi.

Combien vous **dois-je** ?
Quanto le devo ?
couannto lè dèvo ?

À quelle **heure** est la consultation ?
A che ora iniziano le visite ?
a kè ora initsiano lè visitè ?

Il faut aller à l'**hôpital**.
Bisogna andare all'ospedale.
bisonya anndarè all'ospèdalè.

Vous avez une **infection**.
Lei ha un'infezione.
lèi a oun'innfètsionè.

J'ai **mal** ici... dans le dos... à la gorge... à la tête...
au ventre.
Ho male qui... alla schiena... alla gola... alla testa...
al ventre.
o malè coui... alla skièna... alla gola... alla tèsta...
al vènntrè.

Je suis **malade**.
Sono ammalato.
sono ammalato.

Nous devons **opérer**.
Dobbiamo operare.
dobbiamo opèrarè.

Ouvrez la bouche.
Apra la bocca.
apra la bocca.

Je viens de la **part du docteur**.
È il dottor... che mi invia.
è il dottor... kè mi innvia.

Je vais vous faire une **piqûre**.
Le faccio una puntura.
lè fatcho ouna pountoura.

Respirez à fond.
Respiri a fondo.
rèspiri a fonndo.

Je ne me **sens** pas bien.
Non mi sento bene.
nonn mi sènnto bènè.

Je **suis cardiaque**.
Ho dei problemi cardiaci.
o dèi problèmi cardiatchi.

Je **suis enceinte**.
Sono incinta.
sono inntchinnta.

Depuis combien de **temps** ?
Da quanto tempo ?
da couannto tèmmpo ?

Êtes-vous vacciné contre le **tétanos** ?
É vaccinato contro il tetano ?
è vatchinato conntro il tètano ?

Tirez la langue.
Mi mostri la lingua.
mi mostri la linngoua.

Toussez.
Tossisca.
tossisca.

VOCABULAIRE

Abcès	l'ascesso	achèsso
Allergique	allergico	allèrdjico
Ambulance	l'ambulanza	ammboulanndza
Ampoule	la vescica	vèchica
Anesthésie	l'anestesia	anèstèsia
Angine	il mal di gola	mal di gola
Appendicite	l'appendicite	appènnditchitè
Artère	l'arteria	artèria
Articulation	l'articolazione	articolatsionè
Asthme	l'asma	asma
Avaler	inghiottire	innguiottirè
Blessure	la ferita	fèrita
Bouche	la bocca	bocca

santé (hôpital/médecin)

santé (hôpital/médecin)

Bras	il braccio	bratcho
Brûlure	la bruciatura	broutchatoura
Cabinet de consultation	lo studio medico	stoudio médico
Cardiaque	cardiaco	cardiaco
Cheville	la caviglia	cavilya
Chirurgie	la chirurgia	kirourdjia
Choc	lo choc	choc
Clinique	la clinica	clinica
Cœur	il cuore	couoré
Colique hépatique	la colica epatica	colica épatica
– néphrétique	– nefritica	– néfritica
Colonne vertébrale	la colonna vertebrale	colonna vértébralé
Constipation	la stitichezza	stitikétsa
Convulsion	la convulsione	connvoulsioné
Coqueluche	la pertosse	pértossé
Côte	la costola	costola
Cou	il collo	collo
Coude	il gomito	gomito
Coup de soleil	l'insolazione	innsolatsioné
Coupure	il taglio	talyo
Crampe	il crampo	crammpo
Cuisse	la coscia	cocha
Délire	il delirio	délirio
Dépression	l'esaurimento	ésaouriménnto
Dermatologie	la dérmatologia	dérmatolodjia
Diabétique	diabetico	diabético
Diarrhée	la diarrea	diarréa
Digérer	digerire	didjériré
Doigt	il dito	dito
Douleur	il dolore	doloré
Droite (à)	a destra	déstra
Enceinte	incinta	inntchinnta
Entorse	la storta	storta
Épaule	la spalla	spalla
Estomac	lo stomaco	stomaco
Fièvre	la febbre	fébbré
Foie	il fegato	fégato
Foulure	la slogatura	slogatoura
Fracture	la frattura	frattoura
Furoncle	il foruncolo	forounncolo
Gauche (à)	a sinistra	sinistra
Gorge	la gola	gola
Grippe	l'influenza	innflouénntsa
Hanche	l'anca	annca
Hématome	l'ematoma	ématoma
Hémophile	l'emofilaico	émofilaïco
Hémorroïdes	le emorroidi	émorroïdi

santé (hôpital/médecin)

Indigestion	l'indigestione	inndidjèstionè
Infarctus	l'infarto	innfarto
Infection	l'infezione	innfètsionè
Inflammation	l'infiammazione	innfiammatsionè
Insolation	l'insolazione	innsolatsionè
Intestins	l'intestino	inntèstino
Jambe	la gamba	gammba
Laboratoire	il laboratorio	laboratorio
Langue	la lingua	linngoua
Lèvres	le labbra	labbra
Mâchoire	la mascella	machèlla
Main	la mano	mano
Médecin	il medico	mèdico
Médicament	la medicina	mèditchina
Morsure de chien	il morso di un cane	morso di oun canè
– de serpent	– di un serpente	– di oun sèrpènntè
Muscle	il muscolo	mouscolo
Nausée	la nausea	naousèa
Nerf	il nervo	nèrvo
Nez	il naso	naso
Œil	l'occhio	okio
Ordonnance	la ricetta	ritchètta
Oreilles	gli orecchi	orèki
Oreillons	gli orecchioni	orèkioni
Orgelet	l'orzaiolo	ordzaïolo
Os	l'osso	osso
Otite	l'otite	otitè
Peau	la pelle	pèllè
Pied	il piede	pièdè
Piqûre	la puntura	pountoura
– d'abeille	– d'ape	– d'apè
– de méduse	– la bruciatura di medusa	– broutchatoura di mèdousa
Pleurésie	la pleurite	plèouritè
Poitrine	il petto	pètto
Poumon	il polmone	polmonè
Prostate	la prostata	prostata
Refroidissement	il raffreddamento	raffrèddamènnto
Rein	il rene	rènè
Respirer	respirare	rèspirarè
Rhumatisme	il reumatismo	rèoumatismo
Rhume	il raffreddore	raffrèddorè
Rotule	la rotula	rotoula
Rougeole	il morbillo	morbillo
Sang	il sangue	sanngouè
Sciatique	sciatica	chatica
Sein	il seno	sèno

santé (pharmacie)

Selles	le feci	fétchi
Sida	aids	aids
Sinusite	la sinusite	sinousité
Somnifère	il sonnifero	sonniféro
Stérilet	la spirale	spiralé
Système nerveux	il sistema nervoso	sistéma nérvoso
Talon	il calcagno	calcanyo
Tendon	il tendine	ténndiné
Tension	la tensione	ténnsioné
Tête	la testa	tèsta
Toux	la tosse	tossé
Tranquillisant	il tranquillante	trancouillannté
Ulcère	l'ulcera	oulchèra
Urine	l'orina	orina
Varicelle	la varicella	varitchélla
Veine	la vena	véna
Vésicule biliaire	la cistifellea	tchistifélléa
Vessie	la vescica	véchica
Visage	il viso	viso

PHARMACIE
farmacia (farmatchïa)

Pouvez-vous m'indiquer une **pharmacie de garde** ?
Puo indicarmi una farmacia di turno ?
pouo inndicarmi ouna farmatchïa di tourno ?

Avez-vous ce médicament sous une autre **forme** ?
Ha questa medicina sotto un'altra forma ?
a couèsta mèditchina sotto oun'altra forma ?

Avez-vous un médicament de même **formule** ?
Ha una medicina che abbia la stessa formula chimica ?
a ouna mèditchina kè abbia la stèssa formoula kimica ?

J'ai besoin d'un remède contre le **mal** de tête.
Ho bisogno di qualcosa contro il mal di testa.
o bisonyo di coualcosa conntro il mal di tèsta.

Ce **médicament** se délivre seulement sur **ordonnance**.
*Posso venderle questa medicina solo se ha
una ricetta.*
*posso vènnderle couèsta médltchlna solo sè a
ou*na *ritchètta.*

Pouvez-vous me **préparer** cette ordonnance ?
Può prepararmi questa ricetta ?
pouo prèpararmi couèsta ritchètta ?

Avez-vous **quelque chose** pour arrêter la diarrhée ?
Ha qualcosa per far smettere la diarrea ?
a coualcosa pèr far smèttèrè la diarrèa ?

Avez-vous quelque chose pour **soigner** la toux ?
Ha qualcosa contro la tosse ?
a coualcosa conntro la tossè ?

santé (pharmacie)

VOCABULAIRE

A jeun	digiuno	didjouno
Alcool	alcole	alcolé
Analyse	l'analisi	analisi
Antidote	l'antidoto	anntidoto
Antiseptique	antisettico	anntisèttico
Aspirine	l'aspirina	aspirina
Bactéricide	il battericida	battèritchida
Bandage	la fasciatura	fachatoura
Bouillotte	la bottiglia del'acqua calda	bottilya dèll'acoua calda
Calmant	il calmante	calmanntè
Collyre	il collirio	collirio
Compresse	la pezzetta	pèdzètta
Comprimé	la compressa	comprèssa
Contraceptif	il contraccettivo	conntratchèttivo
Coton	il cotone	cotonè
Désinfectant	il disinfettante	disinnfèttanntè
Gouttes pour le nez	le gocce per il naso	gotché pèr il naso
– pour les oreilles	– per gli orecchi	– pèr ly orèki
– pour les yeux	– per gli occhi	– pèr ly oki
Laxatif	il lassativo	lassativo
Mouchoirs en papier	i fazzoletti di carta	fadzolètti di carta
Ordonnance	la ricetta	ritchètta
Pansement	la fasciatura	fachatoura
PHARMACIE DE GARDE	FARMACIA DI TURNO	farmatchia di tourno
Pilule contraceptive	la pillola	pillola

santé (pharmacie)

Pommade	la pomata	pomata
– anti-brûlure	– per le bruciature	– pèr lè broutchatourè
– anti-infections	– anti-infezioni	– annti-innfètsioni
Préservatif	il preservativo	prèsèrvativo
Produit anti-moustiques	il prodotto contro le zanzare	prodotto conntro lè dzannzarè
Serviettes hygiéniques	gli assorbenti	assorbènnti
Sirop	lo sciroppo	chiroppo
Somnifère	il sonnifero	sonnifèro
Sparadrap	il cerotto	tchèrotto
Suppositoires	le supposte	souppostè
Thermomètre	il termometro	tèrmomètro
Tranquillisant	il tranquillante	tranncouillanntè
Trousse d'urgence	la borsa di pronto soccorso	borsa di pronnto soccorso
Vitamine (C)	la vitamina (C)	vitamina (tchi)

VOITURE
vettura (vèttoura)

ACCIDENT
incidente (inntchidènntè)

Il m'est arrivé un **accident**.
  Ho avuto un incidente.
  o avouto oun inntchidènntè.

Il y a eu un **accident sur la route** de...
au croisement de... entre... à environ X km de...
  È successo un incidente sulla strada di...
    all'incrocio... tra... a circa X chilometri da...
  è soutchèsso oun intchidènntè soulla strada di...
    all'inncrotcho... tra... a tchirca X kilomètri da...

Pouvez-vous m'**aider** ?
  Può aiutarmi ?
  pouo aioutarmi ?

Appelez vite une **ambulance**... un **médecin**... la **police**.
  Chiami subito un'ambulanza... un medico...
    la polizia.
  kiami soubito oun'ammboulanndza... oun mèdico...
    la politsia.

Il y a des **blessés**.
  Ci sono dei feriti.
  tchi sono dèï fèriti.

Je suis **blessé**.
  Sono ferito.
  sono fèrito.

Ne **bougez** pas.
  Non si muova.
  nonn si mouova.

voiture (accident)

Coupez le contact.
Spenga il motore.
spènnga il motorè.

Il faut **dégager** la voiture.
Bisogna spostare la macchina.
bisonya spostarè la makina.

Donnez-moi les **documents de la voiture**... attestation d'assurance... carte grise.
Mi dia i documenti dell'auto... l'assicurazione... la carta grigia.
mi dia i docoumènnti dèll'aouto... l'assicouratsione... la carta gridja.

Voici mon **nom et mon adresse**.
Ecco il mio nome e il mio indirizzo.
ècco il mio nomè è il mio inndiritso.

Donnez-moi vos **papiers**... votre **permis de conduire**.
Mi dia i suoi documenti... la patente.
mi dia i souoï docoumènnti... la patènntè.

Puis-je **téléphoner** ?
Posso telefonare ?
posso tèlèfonarè ?

Acceptez-vous de **témoigner** ?
Accetta di testimoniare ?
atchètta di tèstimoniarè ?

Avez-vous une **trousse de secours** ?
Ha una borsa di pronto soccorso ?
a ouna borsa di pronnto soccorso ?

VOCABULAIRE

Artère	l'arteria	artèria
Articulation	l'articolazione	articolatsionè
Blessure	la ferita	fèrita
Bras	il braccio	bratcho
Brûlure, brûlé	la bruciatura, bruciato	broutchatoura, broutchato
Choc	lo choc, il trauma	choc, traouma
Colonne vertébrale	la colonna vertebrale	colonna vèrtèbralè
Côte	la costola	costola
Épaule	la spalla	spalla

Garrot	il laccio emostatico	— latcho émostatico
Genou	il ginocchio	djinokio
Hémorragie	l'emorragia	émorradjia
Jambe	la gamba	gammba
Ligaturer	fasciare, allacciare	facharé, allatcharé
Main	la mano	mano
Nuque	la nuca	nouca
Œil	l'occhio	okio
Pied	il piede	piédé
Poitrine	il petto	pétto
Tête	la testa	tésta
Veine	la vena	véna
Visage	il viso	viso

voiture (garage)

GARAGE

garage (garagé)

Pouvez-vous recharger la **batterie** ?
Può ricaricare la batteria ?
pouo ricaricaré la battéria ?

Le moteur **cale**.
Il motore si spegne.
il motoré si spènyé.

Il est nécessaire de **changer**...
Bisogna cambiare...
bisonya cammbiaré...

Combien **coûte** la réparation ?
Quanto costa la riparazione ?
couannto costa la riparatsioné ?

La voiture ne **démarre** pas.
La macchina non si mette in moto.
la makkina nonn si métté inn moto.

L'embrayage patine.
La frizione slitta.
la fritsioné slitta.

voiture (panne)

Le radiateur **fuit**.
Il radiatore ha una perdita.
il radiatorè a ouna pèrdita.

Il y a une **fuite d'huile**.
C'è una perdita d'olio.
tchè ouna pèrdita d'olio.

Puis-je **laisser** la voiture ?
Posso lasciare la macchina ?
posso lacharè la makina ?

Le **moteur** chauffe trop.
Il motore scalda troppo.
il motorè scalda troppo.

Avez-vous la **pièce de rechange** ?
Ha il pezzo di ricambio ?
a il pètso di ricammbio ?

Quand sera-t-elle **prête** ?
Quando sarà pronta ?
couanndo sara pronnta ?

Pouvez-vous **vérifier** l'allumage... la direction...
les freins... l'huile... le circuit électrique ?
Può verificare l'accensione... lo sterzo... i freni...
l'olio... il circuito elettrico ?
pouo vèrificarè l'atchènnsionè... lo stèrdzo... i frèni...
l'olio... il tchircouito èlèttrico ?

Les **vitesses** passent mal.
Le marcie non ingranano bene.
lè martchè non ingranano bènè.

PANNE
guasto (gouasto)

Ma voiture est en panne.
La mia macchina ha un guasto.
la mia makkina a oun gouasto.

Pouvez-vous m'**aider** à pousser... à changer la roue ?
Può aiutarmi a spingere... a cambiare la ruota ?
pouo aiutarmi a spinndjèrè... a cammbiarè
la rouota ?

Combien de temps faut-il **attendre** ?
Quanto tempo bisogna aspettare ?
couannto tèmmpo bisonya aspèttarè ?

Pouvez-vous me **conduire** à... ?
Può portarmi a... ?
pouo portarmi a... ?

Peut-on faire venir une **dépanneuse** ?
Si può far venire un carro attrezzi ?
si pouo far vènirè oun carro attrèdzi ?

Où est le **garage** le plus proche ?
Dov'è il garage più vicino ?
dov'è il garage piou vitchino ?

Pouvez-vous me **remorquer** ?
Può rimorchiarmi ?
pouo rimorkiarmi ?

Y a-t-il un **service de dépannage** ?
C'è un'officina ?
tchè oun'offitchina ?

La **station-service** est-elle loin ?
La stazione di servizio è lontana ?
la statsionè di sèrvitsio è lonntana ?

D'où peut-on **téléphoner** ?
Da dove si può telefonare ?
da dovè si pouo tèlèfonarè ?

Me permettez-vous d'**utiliser votre téléphone** ?
Mi permette di utilizzare il suo telefono ?
mi pèrmèttè di outilidzarè il souo tèlèfono ?

voiture (panne)

TRANSPORTS / DÉPLACEMENTS

AGENCE DE VOYAGES
agenzia di viaggi (adjenntsia di viadji)

Bonjour !
Buongiorno !
bouonndjorno !

Pouvez-vous m'indiquer une **agence de voyages** ?
Può indicarmi un'agenzia di viaggi ?
pouo indicarmi oun'adjènntsia di viadji ?

J'aimerais...
Mi piacerebbe...
mi piatchèrèbbè...

Auriez-vous... ?
Avrebbe... ?
avrèbbè... ?

Acceptez-vous les **cartes de crédit**... les Traveller chèques ?
Accetta le carte di credito... i Traveller chèques ?
atchètta lè cartè di crèdito... i traveller chèque ?

Pourriez-vous m'organiser un **circuit** partant de... passant par... pour aller à...
Può organizzarmi un circuito che parta da... che passi per... per andare a...
pouo organidzarmi oun tchircouito kè parta da... kè passi pèr... pèr anndarè a...

Cela me **convient**.
Mi va bene.
mi va bènè.

Combien cela **coûte**-t-il ?
Quanto costa ?
couannto costa ?

Pour la visite, avez-vous un **guide** parlant français ?
Per la visita, ha una guida che parli francese ?
per la visita, a ouna gouida kè parli franntchèse ?

J'aimerais **modifier** le parcours.
Vorrei modificare il percorso.
vorrèï modificarè il pèrcorso.

Pouvez-vous me **proposer** autre chose ?
Ha qualcos'altro da propormi ?
a coualcosaltro da propormi ?

Le **transfert** à la gare... à l'aéroport... de l'hôtel
à la gare... est-il inclus ?
Il trasporto alla stazione... all'aeroporto...
dall'albergo alla stazione... è incluso nel prezzo ?
il trasporto alla statsionè... all'aèroporto...
dall'albèrgo alla statsione... è innclouso
nèl prètso ?

Merci, au revoir !
Grazie, arrivederci !
gradziè, arrivèdèrtchi !

agence de voyages

VOCABULAIRE

Français	Italien	Prononciation
Annuler	annullare	annoullarè
Arriver	arrivare	arrivarè
Assurances	le assicurazioni	assicouratsioni
Avion	l'aereo	aèrèo
Bagage	il bagaglio	bagalyo
– (excédent de)	eccedente di bagaglio	etchédènnte di bagalyo
Billet	il biglietto	bilyètto
– aller et retour	l'andata e ritorno	anndata è ritorno
– demi-tarif	la mezza tariffa	mèdza tariffa
– de groupe	il biglietto di gruppo	bilyètto di grouppo
– plein tarif	la tariffa completa	tariffa complèta
Boisson	la bibita	bibita
Cabine	la cabina	cabina
Chambre	la camera	camèra
Changer	cambiare	cammbiarè
Circuit	il circuito	tchircouito
Classe affaires	la classe affari	classè affari
– (première)	la prima classe	prima classè
– (seconde)	la seconda classe	sèconnda classè
– touriste	la classe turistica	classè touristica
Compartiment	lo scompartimento	scommpartimènnto
Confirmer	confermare	connfèrmarè
Correspondance	la coincidenza	coïnntchidènndza
Couchette	la cuccetta	coutchètta

agence de voyages

Couloir	il corridoio	corridoïo
Croisière	la crociera	crotchèra
Escale	lo scalo	skalo
Excursion	l'escursione	èscoursionè
Fenêtre	la finestra	finèstra
Fumeurs	fumatori	foumatori
Guide	la guida	gouida
Inclus	incluso	innclouso
Indicateur des chemins de fer	l'orario dei treni	orario dèi trèni
Non fumeurs	non fumatori	non foumatori
Randonnée	la passeggiata	passèdjata
Repas	il pasto	pasto
Réservation	la prenotazione	prènotatsionè
Retard	il ritardo	ritardo
Route	la strada	strada
Saison basse	la bassa stagione	bassa stadjonè
– haute	l'alta stagione	alta stadjonè
Supplément	il supplemento	soupplémènnto
Train	il treno	trèno
Trajet	il tragitto	tradjitto
Transfert	il trasporto	trasporto
Valise	la valigia	validja
Voiture	l'automobile	aoutomobilè
Vol	il volo	volo
Wagon-lit	il vagone letto	vagonè lètto
– restaurant	– ristorante	ristoranntè

AUTOBUS / AUTOCAR

autobus (a**outobous**)
corriera (corri**è**ra)

Où est la station du bus qui va à... ?
Dov'è la stazione dell'autobus che va a... ?
dov'è la statsionè dèll'aoutobouss kè va a... ?

Pouvez-vous m'arrêter à...
Mi può lasciare a...
mi pouo lachiarè a...

Je voudrais un billet pour aller à...
Vorrei un biglietto per andare a...
vorrèï oun bilyètto pèr anndarè a...

Faut-il changer de bus ?
Bisogna cambiare autobus ?
bisonya cammbiarè aoutobous ?

Combien coûte le trajet jusqu'à... ?
Quanto costa il tragitto fino a... ?
couannto costa il tradjitto fino a... ?

Pouvez-vous me prévenir, quand je devrai descendre ?
Può dirmi quando devo scendere ?
pouo dirmi couanndo dèvo chènndèrè ?

À quelle heure passe le dernier bus ?
A che ora passa l'ultimo autobus ?
a kè ora passa l'oultimo aoutobous ?

Avez-vous un plan du réseau... un horaire ?
Ha una carta degli itinerari degli autobus...
   un orario ?
a ouna carta dèly itinèrari dèly aoutobous...
   oun orario ?

autobus, autocar

VOCABULAIRE

Aller simple	l'andata	anndata
Aller et retour	l'andata e ritorno	anndata è ritorno
ARRÊT	LA FERMATA	fèrmata
ARRÊT FACULTATIF	FERMATA A RICHIESTA	fèrmata a rikièsta
BAGAGES	I BAGAGLI	bagaly
Banlieue	la periferia	pèrifèria
BILLET	IL BIGLIETTO	bilyètto
Chauffeur	l'autista	aoutista
Complet	completo	commplèto
Correspondance	la coincidenza	coïnntchidènntsa
Demi-tarif	la mezza tariffa	mèdza tariffa
Destination	la destinazione	dèstinatsionè
Guichet	lo sportello	sportèllo
Horaire	l'orario	orario
MONTÉE	LA SALITA	salita
Prix (du billet)	il prezzo	prètso
Receveur	il bigliettaio	bilyèttaïo
RENSEIGNEMENTS	LE INFORMAZIONI	innformatsioni
SORTIE	L'USCITA	ouchita
STATION	LA STAZIONE ou FERMATA	statsionè fèrmata
Supplément	il supplemento	soupplèmènnto
Tarif	la tariffa	tariffa
Terminus	il capolinea	capolinèa

AVION
aereo (a**è**rèo)

Acceptez-vous les **animaux** en cabine ?
Accettate gli animali all'interno ?
*atchèttatè ly animali all'innt**è**rno ?*

Faut-il enregistrer ce **bagage** ?
Devo registrare questa valigia ?
*dèvo rèdjistrarè cou**è**sta validja ?*

Puis-je garder cette valise comme **bagage à main** ?
Posso tenere questa valigia come bagaglio a mano ?
*posso tènèrè cou**è**sta validja comè bagalyo a mano ?*

Mon **bagage est endommagé**.
Il mio bagaglio è danneggiato.
il mio bagalyo è dannèdjato.

Je voudrais un **billet** simple... un aller retour... en première classe... en classe affaires... en classe touristes.
Vorrei un biglietto... un'andata e ritorno... in prima
classe... in classe affari... in classe turistica.
*vorr**è**ï oun bilyetto... oun'anndata è ritorno...*
inn prima classè... inn classè affari... inn classè
touristica.

Où se trouve la **boutique « hors taxes »** ?
Dov'è la boutique free taxe ?
dov'è la boutiquè free taxe ?

J'ai perdu ma **carte d'embarquement**.
Ho perso la mia carta d'imbarco.
o pèrso la mia carta d'immbarco.

Où est le **comptoir d'enregistrement** ?
Dov'è l'ufficio di registrazione ?
dov'è l'ouffitcho di rèdjistratsionè ?

Pouvez-vous me **conduire** à l'aéroport ?
Può condurmi all'aeroporto ?
pouo conndourmi all'aèroporto ?

avion

À quelle heure a lieu l'**embarquement** ?... à quelle porte ?
A che ora è l'imbarco... a che porta ?
a kè ora è l'immbarco... a kè porta ?

DERNIER APPEL... **EMBARQUEMENT IMMÉDIAT**.
ULTIMA CHIAMATA... IMBARCO IMMEDIATO.
oultima kiamata... immbarco immèdiato.

Dois-je payer un **excédent de bagages** ?
Devo pagare un eccedente di bagaglio ?
dèvo pagarè oun ètchèdènntè di bagalyo ?

Y a-t-il encore de la **place** sur le vol... ?
C'è ancora posto sul volo... ?
tchè anncora posto soul volo... ?

Pouvez-vous changer ma **réservation** ?
Può cambiare la mia prenotazione ?
pouo cammbiarè la mia prènotatsionè ?

J'ai confirmé ma **réservation** il y a trois jours.
Ho confermato la mia prenotazione tre giorni fa.
o connfèrmato la mia prènotatsione trè djorni fa.

Le vol est-il **retardé**... annulé ?
Il volo è ritardato... annullato ?
il volo è ritardato... annoullato ?

Je voudrais un **siège** à l'avant... à l'arrière... près d'un hublot... sur l'allée dans la zone « fumeurs »... « non fumeurs ».
Vorrei una poltroncina all'avanti... in fondo... vicino a un oblò... sulle poltrone centrali... nel settore fumatori... non fumatori.
vorrèi ouna poltronntchina all'avannti... in fonndo... vitchino a oun oblo... soullè poltronè tchènntrali... nèl sèttorè foumatori... nonn foumatori.

Ai-je le **temps** d'aller changer de l'argent ?
Ho il tempo di cambiare del denaro ?
o il tèmmpo di cammbiarè dèl dènaro ?

À quelle heure décolle le prochain **vol** pour... ?
A che ora decolla il prossimo volo per... ?
a kè ora dècolla il prossimo volo pèr... ?

EN VOL
in volo (inn volo)

Rester assis jusqu'à l'arrêt complet de l'appareil.
*Restate seduti fino a che l'aereo sia
completamente fermo.*
rèstatè sèdouti fino a kè l'aèrèo sia
commplètamènntè fèrmo.

ATTACHEZ VOS CEINTURES.
ALLACCIATE LE CINTURE.
allatchatè lè tchinntourè.

Je voudrais **boire** quelque chose... je voudrais
une couverture.
Vorrei bere qualcosa... Vorrei una coperta.
vorrèï bèrè coualcosa... vorrèï ouna copèrta.

Mes **écouteurs** ne fonctionnent pas.
La mia cuffia non funziona.
la mia couffia non founntsiona.

NE FUMEZ PAS PENDANT LE DÉCOLLAGE.
NON FUMATE DURANTE IL DECOLLO.
non foumatè douranntè il dècollo.

NE FUMEZ PAS PENDANT L'ATTERRISSAGE.
NON FUMATE DURANTE L'ATTERRAGGIO.
nonn foumatè douranntè l'attèrradjo.

NE FUMEZ PAS DANS LES TOILETTES.
NON FUMATE NELLE TOILETTE.
nonn foumatè nèllè toilèttè.

Votre **gilet de sauvetage** est sous votre siège.
Il vostro gilè di salvataggio è sotto la poltrona.
il vostro djilè di salvatadjo è sotto la poltrona.

Veuillez retourner à vos **places**.
Vogliate ritornare ai vostri posti.
volyatè ritornarè aï vostri posti.

Quelle est la **température** au sol ?
Qual'é la temperatura esteriore ?
coualè la tèmmpèratoura èstèriorè ?

avion (en vol)

Dans combien de **temps** servez-vous le petit déjeuner...
le déjeuner... le dîner ?
Tra quanto tempo servirete la colazione ?...
il pranzo... la cena ?
tra couannto tèmmpo sèrvirètè la colatsione...
il pranndzo... la tchèna ?

Notre **temps de vol** jusqu'à... sera de...
Il nostro tempo di volo fino a... sarà di...
il nostro tèmmpo di volo fino a... sara di...

Nous entrons dans une zone de **turbulences**.
Entriamo in una zona di turbolenze.
ènntriamo inn ouna dzona di tourbolènntsè.

Nous **volons** à une altitude de...
Voliamo a una altitudine di...
voliamo a ouna altitoudinè di...

VOCABULAIRE

ACCÈS AUX AVIONS	ACCESSO AGLI AEREI	atchèsso aly aèrèï
Aéroport	l'aeroporto	aèroporto
Allée	l'andata	anndata
Aller	andare	anndarè
ARRIVÉE	ARRIVO	arrivo
Assurances	le assicurazioni	assicouratsioni
Atterrissage	l'atterraggio	attèrradjo
Bagages	i bagagli	bagaly
– à main	– a mano	– a mano
Bar	il bar	bar
Billet	il biglietto	bilyètto
Boutique hors taxe	la boutique free taxe	boutiquè free taxe
Cabine	la cabina	cabina
Carte d'embarquement	la carta d'imbarco	carta d'immbarco
Classe affaires	la classe affari	classè affari
– (première)	la prima classe	prima classè
– touristes	la classe turistica	classè touristica
Commandant de bord	comandante di bordo	comanndanntè di bordo
Confirmation	la conferma	connfèrma
CONTRÔLE DES PASSEPORTS	CONTROLLO DEI PASSAPORTI	controllo dèï passaporti
Couverture	la coperta	copèrta
DÉPART	PARTENZA	partènntsa
DOUANE	DOGANA	dogana
EMBARQUEMENT	IMBARCO	immbarco

Embarquement immédiat	imbarco immediato	immbarco immédiato
Équipage	l'equipaggio	écouipadjo
Fiche de police	la scheda	skéda
Fouille de sécurité	la perquisizione di sicurezza	percouisitsioné di sicourètsa
FUMEURS	FUMATORI	foumatori
Gilet de sauvetage	il gilè di salvataggio	djilé di salvatadjo
Horaire	l'orario	orario
Hôtesse de l'air	l'hostess	ostèss
Hublot	l'oblò	oblo
IMMIGRATION	IMMIGRAZIONE	immigratsioné
NON FUMEURS	NON FUMATORI	non foumatori
Passeport	il passaporto	passaporto
Porte	la porta	porta
Porteur	il facchino	fakkino
Réservation	la prenotazione	prènotatsioné
Retardé	in ritardo	ritardo
Sac	la borsa	borsa
SORTIE DE SECOURS	USCITA DI SICUREZZA	ouchita di sicourètsa
Soute	il bagagliaio	bagalyaïo
Supplément	il supplemento	soupplémennto
TRANSIT	TRANSITO	trannsito
Valise	la valigia	validja
Visa	il visto	visto
Vol	il volo	volo
– intérieur	– interno	– inntèrno
– international	– internazionale	– inntèrnationalé

avion (en vol)

bateau

BATEAU
battello (battèllo)

DERNIER APPEL, les passagers sont priés de monter à bord.
   ULTIMA CHIAMATA, i passeggeri sono pregati di salire a bordo.
   oultima kiamata, i passèdjèri sono prègati di salirè a bordo.

Pour quelle heure l'**arrivée** est-elle prévue ?
   Per che ora è previsto l'arrivo ?
   pèr kè ora è prèvisto l'arrivo ?

Voulez-vous faire porter mes **bagages** dans la cabine numéro...
   Può farmi portare i bagagli nella cabina numero...
   pouo farmi portarè i bagaly nèlla cabina noumèro...

Mon **bagage est endommagé**.
   Il mio bagaglio è danneggiato.
   il mio bagalyo è dannèdjato.

Je voudrais un **billet** simple... aller et retour... première classe... seconde classe.
   Vorrei un biglietto... andata e ritorno... prima classe... seconda classe.
   vorrèï oun bilyètto... anndata è ritorno... prima classè... sèconnda classè.

Où sont les **bureaux** de la compagnie maritime ?
   Dove sono gli uffici della compagnia marittima ?
   dovè sono ly ouffitchi dèlla commpanya marittima ?

Y a-t-il encore des **cabines** disponibles ?
   Ci sono ancora cabine disponibili ?
   tchi sono anncora cabinè disponibili ?

Je voudrais une **cabine sur le pont**.
   Vorrei una cabina sul ponte.
   vorrèï ouna cabina soul ponntè.

bateau

Pourrais-je disposer d'une **chaise longue** ?
Potrei avere una sedia a sdraio ?
potrèï avèrè ouna sèdia a sdraïo ?

Pouvez-vous me **conduire** au port ?
Può condurmi al porto ?
pouo conndourmi al porto ?

À quelle heure a lieu l'**embarquement**... le départ ?
A che ora è l'imbarco... la partenza ?
a kè ora è l'immbarco... la partènntsa ?

Quelle est la durée de l'**escale** ?
Quanto dura lo scalo ?
couannto doura lo scalo ?

Pouvez-vous m'**indiquer** le bar ?
Può indicarmi il bar ?
pouo inndicarmi il bar ?

J'ai le **mal de mer**. Avez-vous un remède ?
Ho il mal di mare. Ha un rimedio ?
o il mal di marè. a oun rimèdio ?

Pouvez-vous changer ma **réservation** ?
Può cambiare la mia prenotazione ?
pouo cammbiarè la mia prènotatsionè ?

À quelle heure **servez-vous** le petit déjeuner...
le déjeuner... le dîner ?
A che ora servite la colazione... il pranzo... la cena ?
*a kè ora sèrvitè la colatsionè... il pranntso...
la tchèna ?*

Combien de **temps** dure la traversée... la croisière ?
Quanto tempo dura la traversata... la crociera ?
*couannto tèmmpo doura la travèrsata ?...
la crotchèra ?*

Est-ce une **traversée** de jour ou de nuit ?
È una traversata di giorno o di notte ?
è ouna travèrsata di djorno o di nottè ?

bateau

VOCABULAIRE

Aller	andare	anndarè
Annulé	annullato	annoullato
ARRIVÉE	ARRIVO	arrivo
Assurances	l'assicurazione	assicouratsionè
Bâbord	il babordo	babordo
Bagages	i bagagli	bagaly
Bar	il bar	bar
Billet	il biglietto	bilyètto
Bouée	il salvagente	salvadjènntè
Cabine	la cabina	cabina
Cale	la cala	cala
Canot de sauvetage	il canotto di salvataggio	canotto di salvatadjo
Chaise longue	la sedia a sdraio	sèdia a sdraïo
Commissaire de bord	il commissario di bordo	commissario di bordo
Confirmation	la conferma	connfèrma
Couchette	la cuccetta	coutchètta
Couverture	la coperta	copèrta
Classe première	la prima classe	prima classè
– seconde	la seconda classe	sèconnda classè
DÉPART	PARTENZA	partènntsa
DESCENDRE	SCENDERE	chènndèrè
DOUANE	DOGANA	dogana
EMBARQUEMENT	IMBARCO	immbarco
Embarcadère	l'imbarcadero	immbarcadèro
Équipage	l'equipaggio	ècouipadjo
Escale	lo scalo	skalo
Excursion	l'escursione	escoursionè
Fiche de police	la scheda	skèda
Fouille de sécurité	la perquisizione di sicurezza	pèrcouisitsionè di sicourètsa
FUMEURS	FUMATORI	foumatori
Gilet de sauvetage	il gilè di salvataggio	djilè di salvatadjo
Horaire	l'orario	orario
Hublot	l'oblo	oblo
IMMIGRATION	IMMIGRAZIONE	immigratsionè
Jetée	la diga	diga
MÉDECIN DE BORD	MEDICO DI BORDO	mèdico di bordo
MONTER	SALIRE	salirè
Nœud (vitesse)	il nodo	nodo
NON FUMEURS	NON FUMATORI	non foumatori
Passeport	il passaporto	passaporto
Passerelle	la passerella	passèrèlla
Pont	il ponte	ponntè
Port	il porto	porto
Porteur	il facchino	fakkino

Poupe	la poppa	poppa
Proue	la prua	proua
Quai	la banchina	bannkina
Réservation	la prenotazione	prènotatsionè
Retard	il ritardo	ritardo
Sac	la borsa	borsa
Supplément	il supplemento	soupplèmènnto
Toilettes	le toilette	toilèttè
Tribord	il tribordo	tribordo
Valise	la valigia	validja
Visa	il visto	visto

bateau

circulation

CIRCULATION
traffico (traffico)

Comment peut-on **aller** à... ?
Come si può andare a... ?
comè si pouo anndarè a... ?

Il faut faire **demi-tour**.
Bisogna tornare indietro.
bisonya tornarè inndiètro.

À quelle **distance** suis-je de... ?
A che distanza sono da... ?
a kè distanntsa sono da... ?

Voulez-vous m'**indiquer** sur la carte... sur le plan ?
Può indicarmi sulla carta... sulla pianta ?
pouo inndicarmi soulla carta... soulla piannta ?

Est-ce **loin** d'ici ?
È lontano da qui ?
è lonntano da coui ?

Où y a-t-il un garage... un hôpital... un hôtel...
un restaurant... dans les environs ?
Dove posso trovare un garage... un ospedale...
un hotel... un ristorante... nei dintorni ?
dovè posso trovarè oun garagè... oun ospèdalè...
oun hotèl... oun ristoranntè... nèi dinntorni ?

Où puis-je **stationner** ?
Dove posso parcheggiare ?
dovè posso parkèdjarè ?

Tournez à droite... à gauche.
Giri a destra... a sinistra.
djiri a dèstra... a sinistra.

VOCABULAIRE

À côté	vicino a	vitchino a
À droite	a destra	a dèstra
À gauche	a sinistra	à sinìstra
Avenue	il viale	vialé
Banlieue	la periferia	périfèria
Boulevard	il corso	corso
Carrefour	l'incrocio	inncrotcho
Chemin	la via	via
Demi-tour	dietro front	diètro front
Derrière	dietro	diètro
Descente	la discesa	dichèsa
Devant	davanti	davannti
Direction	la direzione	dirétsioné
En face	di fronte	di fronntè
Environs (les)	i dintorni	dinntorni
Montée	la salita	salita
Parc	il parco	parco
Place	la piazza	piatsa
Pont	il ponte	ponntè
Route	la strada	strada
Rue	la via	via
Sens unique	il senso unico	sènnso ounico
– interdit	– vietato	– viètato
Sentier	il sentiero	sènntièro
Sous	sotto	sotto
Sur	sopra	sopra
Tournant	il tornante	tornanntè
Tout droit	sempre dritto	sèmmprè dritto
Tunnel	il tunnel, la galleria	tounnèl, gallèria

circulation (panneaux routiers)

PANNEAUX ROUTIERS
segnali stradali (senyali stradali)

ACCENDERE I FANALI	ALLUMEZ LES LANTERNES
AREA DI PARCHEGGIO	AIRE DE REPOS
ALTEZZA LIMITATA	HAUTEUR LIMITÉE
AUTOSTRADA	AUTOROUTE
BARRIERA AUTOMATICA	BARRIÈRE AUTOMATIQUE
BORDI CEDEVOLI	BAS-CÔTÉ NON STABILISÉ
BUCHI	TROUS
CADUTA PIETRE	CHUTES DE PIERRES

circulation (panneaux routiers)

CENTRO	CENTRE
CIRCOLATE SU DUE CORSIE	CIRCULEZ SUR DEUX FILES
CIRCOLATE SU UNA CORSIA	CIRCULEZ SUR UNE FILE
CURVE PER... KM	VIRAGES SUR... KM
DEVIAZIONE	DÉVIATION
DOGANA	DOUANE
FRONTIERA	FRONTIÈRE
GHIACCIO	VERGLAS
INCROCIO PERICOLOSO	CROISEMENT DANGEREUX
LAVORI IN CORSO	TRAVAUX
NEBBIA	BROUILLARD
OSPEDALE	HÔPITAL
PARCHEGGIO A PAGAMENTO	PARKING PAYANT
PARCHEGGIO ALTERNO	STATIONNEMENT ALTERNÉ
PASSAGGIO A LIVELLO	PASSAGE À NIVEAU
PASSAGGIO ALTERNO	PASSAGE ALTERNÉ
PASSAGGIO PEDONALE	PASSAGE PIÉTONS
PASSAGGIO PROTETTO	PASSAGE PROTÉGÉ
PEDAGGIO A... KM	PÉAGE A... KM
PENDIO... %	PENTE... %
PERICOLO	DANGER
PERIFERICO	PÉRIPHÉRIQUE
POLIZIA	POLICE
PONTE	PONT
PRECEDENZA A DESTRA	PRIORITÉ À DROITE
PRECEDENZA A SINISTRA	PRIORITÉ À GAUCHE
RALLENTARE	RALENTIR
SCUOLA	ÉCOLE
SEMAFORI	FEUX DE CIRCULATION
SENSO UNICO	SENS UNIQUE
SENSO VIETATO	SENS INTERDIT
SENZA USCITA	SANS ISSUE
SMOTTAMENTO	ÉBOULEMENT
SOSTA LIMITATA	STATIONNEMENT LIMITÉ
SOSTA VIETATA	STATIONNEMENT INTERDIT
SOSTA VIETATA A ROULOTTE	INTERDIT AUX CARAVANES
STRADA ACCIDENTATA	ROUTE DÉFONCÉE
STRADA A CURVE	ROUTE SINUEUSE
STRADA INNEVATA	ROUTE ENNEIGÉE
STRADA INONDATA	ROUTE INONDÉE
STRADA NAZIONALE	ROUTE NATIONALE
STRADA PROVINCIALE	ROUTE DÉPARTEMENTALE

STRADA SBARRATA	ROUTE BARRÉE
STRADA SCIVOLOSA	CHAUSSÉE GLISSANTE
STRADA SDRUCCIOLEVOLE	ROUTE GLISSANTE
STRADA STRETTA	ROUTE ÉTROITE
USCITA AUTO	SORTIE DE VÉHICULES
VALICO APERTO	COL OUVERT
VALICO CHIUSO	COL FERMÉ
VELOCITA LIMITATA	VITESSE LIMITÉE
VIA SENZA USCITA	VOIE SANS ISSUE

circulation (panneaux routiers)

douane

DOUANE
dogana (dogana)

Je n'ai que des **affaires personnelles**.
Non ho che delle cose personali.
nonn o kè dèllè cosè pèrsonali.

Ce **bagage** n'est pas à moi.
Questo bagaglio non è mio.
couèsto bagalyo nonn è mio.

Il y a seulement quelques **cadeaux**.
C'è solo qualche regalo.
tchè solo coualkè règalo.

Excusez-moi, je ne **comprends** pas.
Mi scusi, non capisco.
mi scousi, nonn capisco.

Je n'ai rien à **déclarer**.
Non ho niente da dichiarare.
nonn o niènntè da dikiararè.

J'ai oublié les papiers de **dédouanement** de mon
appareil.
*Ho dimenticato i documenti di sdoganamento
del mio apparecchio.*
*o dimènnticato i docoumènnti di sdoganamènnto
dèl mio apparèkio.*

Pourriez-vous m'aider à remplir le **formulaire** ?
Può aiutarmi a riempire la mia scheda ?
pouo aioutarmi a rièmmpirè la mia skèda ?

Où logerez-vous ?
Dove alloggerà ?
dovè allodjèra ?

Ouvrez le coffre... la valise... le sac.
Apra il cofano... la valigia... la borsa.
apra il cofano... la validja... la borsa.

Voici les **papiers** de la voiture.
Ecco i documenti dell'auto.
ècco i docoumènnti dèll'aouto.

douane

Puis-je **partir** ?
Posso partire ?
posso partirè ?

Vous devez **payer des droits** sur cela.
Deve pagare delle tasse per questo oggetto.
dèvè pagarè dèllè tassè pèr couèsto odjètto.

Je **reste** jusqu'à...
Rimango fino a...
rimanngo fino a...

Je suis **touriste**.
Sono un turista.
sono oun tourista.

Je suis en **transit**, je vais à...
Sono di passaggio, vado a...
sono di passadjo, vado a...

Je **viens** de...
Vengo da...
vènngo da...

Je **voyage pour affaires**.
Viaggio per affari.
viadjo pèr affari.

VOCABULAIRE

Adresse	l'indirizzo	inndiritso
Alcool	il liquore	licouorè
Carte d'identité	la carta d'identità	carta d'idènntita
– grise	il libretto di circolazione	librètto di çirkolatsionè
Cartouche	la stecca	stècca
Certificat d'assurance	il certificato d'assicurazione	tchèrtificato d'assicouratsionè
– de vaccination	– di vaccinazione	– di vatchinatsionè
Cigarettes	le sigarette	sigarèttè
CONTRÔLE DES PASSEPORTS	CONTROLLO PASSAPORTI	conntrollo passaporti
Date de naissance	la data di nascita	data di nachita
Domicile	il domicilio	domitchilio
Douane	la dogana	dogana
Droits de douane	le tasse *ou* il dazio	tassè, dadzio
Lieu de naissance	il luogo di nascita	louogo di nachita

douane

Marié	sposato	sposato
Nom de jeune fille	il nome da ragazza	nomé da ragatsa
Parfum	il profumo	profoumo
Passeport	il passaporto	passaporto
Permis de conduire	la patente	paténnté
Plaque d'immatricula-tion	la targa	targa
Profession	la professione	proféssioné
Retraité	in pensione	inn pénnsioné
Souvenirs	i souvenirs	souvénir
Tabac	il tabacco	tabakko
Vin	il vino	vino

MÉTRO
metropolitana (mètropolitana)

métro

Où se trouve la station la plus proche ?
Dov'è la stazione più vicina ?
dov'è la statsionè piou vitchina ?

Je voudrais un billet... un carnet de billets.
Vorrei un biglietto... un blocchetto di biglietti.
vorrèï oun bilyètto... oun blokètto di bilyètti.

Y a-t-il un changement ?
Bisogna cambiare ?
bisonya cammbiarè ?

Quelle direction dois-je prendre pour aller à...
Che direzione devo prendere per andare a...
kè dirètsionè dèvo prènndèrè pèr anndarè a...

À quelle heure ferme le métro ?
A che ora chiude il metro ?
a kè ora kioudè il mètro ?

Pouvez-vous me donner un plan du métro ?
Può darmi una pianta del metro ?
pouo darmi ouna piannta dèl mètro ?

La porte, s'il vous plaît.
La porta, per favore.
la porta, pèr favorè.

Cette rame va bien à... ?
Questo metro va a... ?
couèsto mètro va a... ?

Combien de stations avant... ?
Quante stazioni ci sono prima... ?
couanntè statsioni tchi sono prima... ?

métro

VOCABULAIRE

ACCÈS AUX QUAIS	ACCESSO AI BINARI	atchèsso aï binari
Billet	il biglietto	bilyètto
Carnet de billets	blocchetto di biglietti	blokkètto di bilyètti
Contrôleur	il controllore	conntrollorè
CORRESPONDANCE	COINCIDENZA	coïnntchidènntsa
Descendre	scendere	chènndèrè
Direction	la direzione	dirètsionè
Distributeur	il distributore	distriboutorè
ENTRÉE	ENTRATA	ènntrata
Escalier	la scala	scala
ESCALIER MÉCANIQUE	SCALA MOBILE	scala mobilè
Fermeture	la chiusura	kiousoura
Ligne	la linea	linèa
Monter	salire	salirè
Ouverture	l'apertura	apèrtoura
Plan	la pianta	piannta
Porte	la porta	porta
Rame	il convoglio	connvolyo
RENSEIGNEMENTS	INFORMAZIONI	innformatsioni
Signal d'alarme	il segnale d'allarme	sènyalè d'allarmè
SORTIE	USCITA	ouchita
Station	la stazione	statsionè
Terminus	il capolinea	capolinèa
Voie	il binario	binario

TAXI
taxi (taxi)

taxi

Pouvez-vous m'appeler un taxi ?
Può chiamarmi un taxi ?
pouo kiamarmi oun taxi ?

Où est la station de taxi la plus proche ?
Dov'é la stazione di taxi più vicina ?
dov'è la statsionè di taxi piou vitchina ?

Arrêtez-moi ici, s'il vous plaît.
Mi faccia scendere qui, per favore.
mi fatcha chènndèrè coui, pèr favorè.

Pouvez-vous m'attendre ?
Mi può aspettare ?
mi pouo aspèttarè ?

Combien prenez-vous pour aller à... ?
Quanto costa per andare a... ?
couannto costa pèr anndarè a... ?

Combien vous dois-je ?
Quanto le devo ?
couannto lè dèvo ?

Êtes-vous **libre ?**
È libero ?
è libèro ?

Je suis **pressé**.
Ho fretta.
o frètta.

Je suis en **retard**.
Sono in ritardo.
sono inn ritardo.

Je voudrais faire un **tour dans la ville**.
Vorrei fare un giro per la città.
vorrèï farè oun djiro pèr la tchitta.

taxi

VOCABULAIRE

Français	Italien	Prononciation
Bagage	il bagaglio	bagalyo
Compteur	il taximetro	taximétro
LIBRE	LIBERO	libèro
OCCUPÉ	OCCUPATO	occoupato
Pourboire	la mancia	manntcha
Prix	il prezzo	prèdzo
STATION	STAZIONE	stadzionè
Supplément	il supplemento	soupplémènnto
Tarif de nuit	la tariffa notturna	tariffa nottourna

TRAIN
treno (trèno)

train

S'il vous plaît, où se trouve la gare ?
Per favore, dove si trova la stazione ?
per favorè, dovè si trova la statsionè ?

À quelle heure **arrive** le train venant de... ?
A che ora arriva il treno che viene da... ?
a kè ora arriva il trèno kè viènè da... ?

Je voudrais enregistrer les **bagages**
Vorrei registrare i bagagli.
vorrèï rèdjistrarè i bagaly.

Je voudrais un **billet** aller simple... aller retour...
première classe... seconde classe.
Vorrei un biglietto di andata... di andata e ritorno...
prima classe... seconda classe.
vorrèï oun bilyètto di anndata... anndata è ritorno...
prima classè... sèconnda classè...

Dois-je **changer** de train ?
Devo cambiare treno ?
dèvo cammbiarè trèno ?

Où se trouve la **consigne** ?
Dov'è il deposito bagagli ?
dov'è il dèposito bagaly ?

Y a-t-il des **couchettes** ?
Ci sono delle cuccette ?
tchi sono dèllè coutchèttè ?

Combien **coûte** l'aller simple ?
Quanto costa l'andata ?
couannto costa l'anndata ?

Puis-je **fumer** ?
Posso fumare ?
posso foumarè ?

Cette place est-elle **libre** ?
È libero questo posto ?
è libèro couèsto posto ?

train

Quel est le **montant** du supplément ?
Quant'è il supplemento ?
couannt'è il soupplèmènnto ?

À quelle heure **part** le train pour... ?
A che ora parte il treno per... ?
a kè ora partè il trèno pèr... ?

Excusez-moi, cette **place** est réservée.
Mi scusi, questo posto è prenotato.
mi scousi, couèsto posto è prènotato.

Veuillez m'indiquer le **quai**... la voie.
Mi può indicare la banchina... il binario.
mi pouo inndicarè la bannkina... il binario.

Y a-t-il une **réduction** pour les enfants ?
C'è una riduzione per i bambini ?
tchè ouna ridoutsionè pèr i bammbini ?

Je désire **réserver** une place côté couloir... côté fenêtre.
Vorrei prenotare un posto dalla parte del corridoio...
  vicino alla finestra.
vorrèï prènotarè oun posto dalla partè dèl
  corridoïo... vitchino alla finèstra.

Le train a du **retard**.
Il treno è in ritardo.
il trèno è inn ritardo.

Pouvez-vous me **réveiller**... me prévenir ?
Può svegliarmi... chiarmarmi ?
pouo svèlyarmi... kiamarmi ?

Où sont les **toilettes** ?
Dove sono le toilette ?
dovè sono lè toilèttè ?

Pouvez-vous m'aider à monter ma **valise** ?
Può aiutarmi a portar su la valigia ?
pouo aioutarmi a portar sou la validja ?

Y a-t-il un **wagon-restaurant**... un **wagon-lit** ?
C'è un vagone ristorante... un vagone letto ?
tchè oun vagonè ristoranntè... oun vagonè lètto ?

VOCABULAIRE

train

Aller	l'andata	anndata
ARRIVÉE	ARRIVO	arrivo
Bagages	i bagagli	bagaly
Banlieue	la periferia	pèrifèria
Billet	il biglietto	bilyètto
– aller simple	– di andata	– di anndata
– aller et retour	– di andata e ritorno	– di anndata è ritorno
– première classe	– di prima classe	– di prima classè
– seconde classe	– di seconda classe	– di sèconnda classè
BUFFET	BUFFET	bouffè
Changement	il cambiamento	cammbiamènnto
Chariot à bagages	carrello per i bagagli	carrèllo pèr i bagaly
CHEF DE GARE	CAPOSTAZIONE	capostatsionè
Coin	l'angolo	anngolo
– couloir	– vicino al corridoio	– vitchino al corridoïo
– fenêtre	– vicino alla finestra	– vitchino alla finèstra
Compartiment	lo scompartimento	scommpartimènnto
CONSIGNE	DEPOSITO BAGAGLI	dèposito bagaly
CONTRÔLEUR	CONTROLLORE	conntrollorè
Correspondance	coincidenza	coïnntchidènntsa
Couchette	la cuccetta	coutchètta
Couloir	il corridoio	corridoïo
DÉPART	LA PARTENZA	partènntsa
ESCALIER MÉCANIQUE	SCALA MOBILE	scala mobilè
EXPÉDITION	SPEDIZIONE	spèditsionè
FUMEURS	FUMATORI	foumatori
Gare	la stazione	statsionè
GUICHET	SPORTELLO	sportèllo
Indicateur (horaires)	l'orario	orario
Kiosque à journaux	l'edicola	èdicola
NON FUMEURS	NON FUMATORI	non foumatori
Objets trouvés	oggetti smarriti	odjètti smarriti
PASSAGE SOUTERRAIN	PASSAGGIO SOTTERRA-NEO	passadjo sottèrranèo
Place assise	il posto a sedere	posto a sèdèrè
Porte	la porta	porta
PORTEUR	FACCHINO	fakkino
Portière	la portiera	portièra
QUAI	BINARIO	binario
RÉSERVATION	PRENOTAZIONE	prènotatsionè
Retard	il ritardo	ritardo
Retour	il ritorno	ritorno
Sac	la borsa	borsa
SALLE D'ATTENTE	SALA D'ATTESA	sala d'attèsa
SIGNAL D'ALARME	FRENO D'EMERGENZA	frèno d'èmèrgèntza

train

SORTIE	USCITA	ouchita
Supplément	il supplemento	soupplémènnto
TOILETTES (W.C.)	TOILETTE	toilétté
Valise	la valigia	validja
Voie	il binario	binario
Wagon-lit	il vagone letto	vagoné létto
Wagon-restaurant	il vagone ristorante	vagoné ristoranntè

VOITURE / MOTO
vettura (véttoura) / moto (moto)

STATION-SERVICE
stazione di servizio (statsioné di sérvitsio)

Donnez-moi 10... 20 litres d'essence... d'ordinaire...
de super... de gas-oil... de sans plomb.
> *Mi dia dieci... venti litri di benzina... di normale...
> di super... di gasolio... di benzina verde.*
> *mi dia diètchi... vènnti litri di bènndzina...
> di normalè... di soupèr... di gasolio...
> di bènndzinna vèrdè.*

Faites le plein, s'il vous plaît.
> *Mi faccia il pieno, per favore.*
> *mi fatcha il pièno, pèr favorè.*

Il faudrait mettre de l'eau distillée dans la **batterie**.
> *Bisognerebbe mettere dell'acqua distillata nella
> batteria.*
> *bisonyèrèbbè mèttèrè dèll'acoua distillata nèlla
> battèria.*

Combien cela va-t-il **coûter** ?
> *Quanto costerà ?*
> *couannto costèra ?*

Puis-je **laisser la voiture** ?
> *Posso lasciare la macchina ?*
> *posso lacharè la makkina ?*

Combien coûte le **lavage** ?
> *Quanto costa il lavaggio ?*
> *couannto costa il lavadjo ?*

Pouvez-vous **nettoyer** le pare-brise ?
> *Può lavare il parabrezza ?*
> *pouo lavarè il parabrèdza ?*

voiture, moto (station-service)

Quand sera-t-elle **prête** ?
Quando sarà pronta ?
couanndo sara pronnta ?

Pouvez-vous **régler** les phares... les codes.
Può regolare i fari... gli anabbaglianti.
pouo règolarè i fari... ly anabbalyannti.

Pouvez-vous **réparer** le pneu ?
Può riparare la ruota ?
pouo ripararè la rouota ?

Pouvez-vous **vérifier** l'eau... l'huile... les freins...
la pression des pneus ?
Può verificare l'acqua... l'olio... i freni... la pressione delle ruote ?
pouo vèrificarè l'acoua... l'olio... i frèni... la prèssionè dèllè rouotè ?

Pouvez-vous faire une **vidange** et un graissage ?
Può cambiare l'olio e lubrificare ?
pouo cammbiarè l'olio è loubrificarè ?

VOCABULAIRE

Accélérateur	l'acceleratore	atchèllèratorè
Accélérer	accellerare	atchèllèrarè
Aile	il parafango	parafanngo
Allumage	l'accensione	atchènnsionè
Allumer	accendere	atchènndèrè
Ampoule	la lampadina	lammpadina
Antigel	l'antigelo	anntidjèlo
Antivol	l'antifurto	anntifourto
Arrière	dietro	diètro
Avant	davanti	davannti
Avertisseur	il clacson	clacsonn
Axe	il perno	pèrno
Bas	basso	basso
Batterie	la batteria	battèria
Bloqué	bloccato	bloccato
Boîte de vitesses	il cambio	cammbio
Bouchon	il tappo	tappo
Bougie	la candela	canndèla
Boulon	il bullone	boullonè
Bruit	il rumore	roumorè
Câble	il cavo	cavo

Capot	il cofano	cofano
Carburateur	il carburatore	carbouratорѐ
Carrosserie	la carrozzeria	carrodzѐria
Carter	il carter	cartѐr
Cassé	rotto	rotto
Ceinture de sécurité	la cintura di sicurezza	tchinntoura di sicourѐtsa
Chambre à air	la camera d'aria	camѐra d'aria
Changement de vitesse	il cambiamento di velocità	cammbiamѐnnto di vѐlotchita
Changer	cambiare	cammbiarѐ
Châssis	il telaio	tѐlaïo
Chauffage	il riscaldamento	riscaldamѐnnto
Circuit électrique	il circuito elettrico	tchircouito élѐttrico
Clef	la chiave	kiavѐ
– de contact	di accensione	atchѐnsione
Clignotant	il lampeggiatore	lammpѐdjatorѐ
Code	codice ou fari anabbaglianti	coditchѐ ou fari anabbaliannti
Coffre	il bagagliaio	bagalyaïo
Compte-tours	il contagiri	conntadjiri
Compteur de vitesse	il tachimetro	takimѐtro
Condensateur	il condensatore	conndѐnnsatorѐ
Contact	il contatto	conntatto
Contravention	la contravvenzione	conntravѐnntsionѐ
Couler une bielle	fondere una bronzina	fonndѐrѐ ouna bronndzina
Courroie de ventilateur	la cinghia del ventilatore	tchinnguia dѐl venntilatorѐ
Court-circuit	il cortocircuito	cortotchircouito
Crevaison	la foratura	foratoura
Crevé	bucato	boucato
Crever	bucare	boucarѐ
Cric	il cric	cric
Culasse	la testata	tѐstata
Débrayer	disinnestare	disinnѐstarѐ
Déformé	sformato	sformato
Dégivrer	sbrinare	sbrinarѐ
Démarrer	mettere in moto avviare	mѐttѐrѐ inn moto avviarѐ
Démarreur	il motorino d'avviamento	motorino d'avviamѐnnto
Desserré	allentato	allenntato
Dévisser	svitare	svitarѐ
Direction	la direzione	dirѐtsionѐ
Dynamo	la dinamo	dinamo
Éclairage	la luce	loutchѐ
Écrou	il dado	dado

voiture, moto (station-service)

voiture, moto (station-service)

Français	Italien	Prononciation
Embrayage	la frizione	fritsionè
Embrayer	premere la frizione	prèmèrè la fritsionè
Essence	la benzina	bènndzina
Essieu	l'assale	assalè
Essuie-glace	il tergicristallo	tèrdjicristallo
Fermé	chiuso	kiouso
Feux arrière	fanali posteriori	fanali postèriori
– de détresse	– fari di sicurezza	– fari di sicourètsa
– de position	– fanali di posizione	– fanali di positsionè
Filtre	il filtro	filtro
– à air	– dell'aria	– dèll'aria
– à essence	– della benzina	– dèlla bènndzina
– à huile	– dell'olio	– dèll'olio
Frein	il freno	frèno
– à disque	– a disco	– a disco
– à main	– a mano	– a mano
Garniture de frein	la guarnizione	gouarnitsionè
Graisse	il lubrificante	loubrificanntè
Jante	il cerchione	tchèrkionè
Lavage	il lavaggio	lavadjo
Lave-glace	il lavacristallo	lavacristallo
Lent	lento	lènnto
Lubrifiant	il lubrificante	loubrificanntè
Mécanicien	il meccanico	mèccanico
Moteur	il motore	motorè
MOTO	MOTO	moto
béquille	il cavalletto di sostegno	cavallètto di sostènyo
cardan	il cardano	cardano
chaîne	la catena	catèna
fourche avant	la forcella anteriore	fortchèlla antèriorè
– arrière	– posteriore	– postèriorè
garde-boue	il parafango	parafanngo
guidon	il manubrio	manoubrio
poignée	la manopola	manopola
– des gaz	– del gas	– del gas
rayon	il raggio	radjo
repose-pieds	il poggiapiedi	podjapièdi
selle	il sellino	sèllino
Nettoyer	pulire	poulirè
Ouvert	aperto	apèrto
Pare-brise	il parabrezza	parabrèdza
Pare-chocs	il paraurti	paraourti
Pédale	il pedale	pèdalè
Phare	faro	faro
– anti-brouillard	il fanale anti nebbia	fanalè annti nèbbia
– de recul	– retromarcia	– rètromartcha
Pièce de rechange	il pezzo di ricambio	pètso di ricammbio

Pince	le pinze	pinntsè
Plaque d'immatriculation —	la targa	targa
Pneu	il pneumatico	pnòoumatico
Pompe	la pompa	pommpa
– à essence	– della benzina	– dèlla bènndzina
– à huile	– dell'olio	– dèll'olio
– à injection	– a iniezione	– a inniètsionè
Pot d'échappement	il tubo di scappamento	toubo di scappamènnto
Pousser	spingere	spinndjèrè
Pression	la pressione	prèssionè
Radiateur	il radiatore	radiatorè
Ralenti	minimo	minimo
Ralentir	rallentare	ralènntarè
Recharger	ricaricare	ricaricarè
Reculer	indietreggiare	indiètrèdjarè
Refroidissement	il raffreddamento	raffrèddamènnto
Régler	regolare	règolarè
Remorquer	rimorchiare	rimorkiarè
Remplacer	rimpiazzare	rimmpiadzarè
Réparation	la riparazione	riparatsionè
Réservoir	il serbatoio	sèrbatoïo
Rétroviseur	il retrovisore	rètrovisorè
Roue	la ruota	rouota
– de secours	– di scorta	– di scorta
Serrer	stringere	strinngèrè
Serrure	la serratura	sèrratoura
Siège	il sedile	sèdilè
Soupape	la valvola	valvola
Suspension	lo sospensione	sospènnsionè
Tambour de frein	il tamburo del freno	tammbouro dèl frèno
Thermostat	il termostato	tèrmostato
Tirer	tirare	tirarè
Tournevis	il cacciavite	catchavitè
Transmission	la trasmissione	trasmissionè
Triangle de signalisation	il triangolo di segnalazione	trianngolo di sènyalatsionè
Usé	consunto	connsounnto
Ventilateur	il ventilatore	vènntilatorè
Vibrer	vibrare	vibrarè
Vis	la vite	vitè
Vite	rapidamente	rapidamènntè
Vitesse	la velocità	vèlotchita
Volant	il volante	volanntè

voiture, moto (station-service)

LOGEMENT / RESTAURATION

CAMPING
camping (cammping)

Où y a-t-il un terrain de camping ?
Dov'è un terreno per campeggio ?
dov'è oun terrèno pèr cammpèdjo ?

Comment y parvenir ?
Comé ci si arriva ?
comè tchi si arriva ?

Pouvez-vous me montrer le chemin sur la carte ?
Può mostrarmi il percorso sulla carta ?
pouo mostrarmi il pèrcorso soulla carta ?

Où puis-je **acheter** une bouteille de gaz... une torche
électrique ?
Dove posso comprare una bombola di gas... una
torcia elettrica ?
dovè posso commprarè ouna bommbola di gas...
ouna tortcha élèttrica ?

Où puis-je **dresser** la tente ?
Dove posso montare la tenda ?
dovè posso monntarè la tènnda ?

Où puis-je trouver de l'**eau potable** ?
Dove posso trovare dell'acqua potabile ?
dovè posso trovarè dèll'acoua potabilè ?

Où puis-je **garer la caravane** ?
Dove posso parcheggiare la roulotte ?
dovè posso parkèdjarè la roulottè ?

Y a-t-il un **magasin d'alimentation** ?
C'è un negozio di alimentari ?
tchè oun nègotsio di alimènntari ?

Avez-vous de la **place** ?
Avete posto ?
avètè posto ?

Quel est le **prix** par jour et par personne...
pour la voiture... la caravane... la tente ?
  Quanto costa al giorno, per persona...
    per l'auto... per la roulotte... per la tenda ?
  couannto costa al djorno, pèr pèrsona...
    pèr l'aouto... pèr la roulottè... pèr la tènnda ?

Comment se fait le **raccord au réseau électrique** ?
  Come si fa l'allacciamento alla rete elettrica ?
  come si fa l'allatchamènnto alla rètè èlèttrica ?

Nous désirons **rester**... jours... semaines.
  Vorremmo restare... giorni... settimane.
  vorrèmmo rèstarè... djorni... sèttimanè.

Le camping est-il **surveillé** la nuit ?
  Il camping è sorvegliato di notte ?
  il cammping è sorvèlyato di nottè ?

Où sont les **toilettes**... les douches... les poubelles... ?
  Dove sono le toilette... le docce... i bidoni delle
    immondizie ?
  dovè sono lè toilettè... lè dotchè... i bidoni dèllè
    immonnditsiè ?

Quel est le **voltage** ?
  Qual'è il voltaggio ?
  coual'è il voltadjo ?

camping

VOCABULAIRE

Alcool à brûler	alcole	alcolè
Allumette	il fiammifero	fiammifèro
Ampoule	la lampadina	lammpadina
Assiette	il piatto	piatto
Bidon	il bidone	bidonè
Bougie	la candela	canndèla
Bouteille de gaz	la bombola del gas	bommbola dèl gas
Branchement	l'allacciamento	allatchamènnto
Briquet	l'accendino	atchènndino
Buanderie	la lavanderia	lavanndèria
CAMPING INTERDIT	DIVIETO DI CAMPEGGIO	divièto di cammpèdjo
Caravane	la roulotte	roulottè
Casserole	la pentola	pènntola
Catégorie	la categoria	catègoria
Chaise	la sedia	sèdia

camping

Chaise longue	la sedia a sdraio	sèdia a sdraïo
Chauffage	il riscaldamento	riscaldamènnto
Corde	la corda	corda
Couteau	il coltello	coltèllo
Couverts	le posate	posatè
Couverture	la coperta	copèrta
Cuiller	il cucchiaio	coukiaïo
Décapsuleur	l'apri-bottiglie	apri-bottilyè
Douche	la doccia	dotcha
Draps	le lenzuola	lènntsouola
Eau chaude	l'acqua calda	acoua calda
– froide	– fredda	– frèdda
– potable	– potabile	– potabilè
Emplacement	l'area	aréa
Enregistrement	la registrazione	rèdjistratsionè
Fourchette	la forchetta	forkètta
Gardien	il guardiano	gouardiano
Gobelet	il bicchiere	bikkièrè
Gourde	la borraccia	borratcha
Lampe de poche	la pila tascabile	pila tascabilè
Lampe-tempête	la lampada a petrolio	lammpada a pètrolio
Linge	la biancheria	biannkèria
Lit de camp	la branda	brannda
Louer	affittare	affittarè
Machine à laver	la lavatrice	lavatritchè
Marteau	il martello	martèllo
Mât de tente	il pennone da tenda	pènnone da tènnda
Matelas	il materasso	matèrasso
– pneumatique	– gonfiabile	– gonnfiabilè
Matériel de camping	il materiale da camping	matèrialè da cammping
Moustiquaire	la zanzariera	dzandzarièra
Ouvre-boîtes	l'apriscatole	apriscatolè
Papier hygiénique	la carta igienica	carta idjènica
Pinces	le pinze	pinntsè
– à linge	le mollette per	mollèttè pèr
	la biancheria	la biannkèria
Piquet de tente	il paletto da tenda	palètto da tènnda
Piscine	la piscina	pichina
Poubelle	le immondizie	immonndïtsiè
Prise de courant	la presa di corrente	prèsa di corrènntè
Réchaud	il fornello	fornèllo
Réfrigérateur	il frigorifero	frigorifèro
Remorque	il rimorchio	rimorkio
Robinet	il rubinetto	roubinètto
Sac à dos	lo zaino	dzaïno
– de couchage	il sacco a pelo	sacco a pèlo
Seau	il secchio	sèkio

Table	la tavola	tavola
Tapis de sol	il tappeto	tappéto
Tasse	la tazza	tadza
Tendeur	il cavo	cavo
Tente	la tenda	ténnda
Terrain	il terreno	térréno
– de jeu	– giochi	– djoki
Toilettes	le toilette	tollétté
Tournevis	il cacciavite	catchavité
Trousse de secours	la borsa di soccorso	borsa di soccorso
Vaisselle	le stoviglie	stovilyé

camping

hôtel

HÔTEL
albergo (alb**è**rgo)

Où y a-t-il un bon hôtel... un hôtel bon marché ?
Dove posso trovare un buon albergo... un albergo che non sia caro ?
dov**è** posso trovar**è** oun bou**o**nn alb**è**rgo... oun alb**è**rgo k**è** nonn sia caro ?

Je suis monsieur... madame... mademoiselle... **j'ai réservé** pour une, deux nuits, une chambre (ou deux chambres) (un lit ou deux lits) avec douche... avec bain... avec télévision.
Sono il signor... la signora... la signorina... ho prenotato per una notte, due notti, una camera (o due camere) (un letto o due letti), con doccia... con bagno... con tivù.
sono il sinyor... la sinyora... la sinyorina... o pr**è**notato p**è**r ouna nott**è**, dou**è** notti, ouna camera (o dou**è** cam**è**r**è**) (oun l**è**tto o dou**è** l**è**tti), conn dotcha... conn banyo... conn tivou.

S'il vous plaît, voulez-vous me remettre votre passeport... vos papiers d'identité ?
Per favore, mi dia il passaporto... i documenti ?
p**è**r favor**è**, mi dia il passaporto... i docoum**è**nnti ?

Acceptez-vous les animaux ?
Accettate gli animali ?
atch**è**ttat**è** ly animali ?

Pouvez-vous appeler pour moi un autre hôtel ?
Può chiamare per me un altro albergo ?
pou**o** kiamar**è** p**è**r m**è** oun altro alb**è**rgo ?

J'attends quelqu'un. Je suis dans le salon... au bar.
Aspetto qualcuno. Sono nel salone... al bar.
asp**è**tto coualcouno. Sono n**è**l salon**è**... al bar.

Pouvez-vous monter les bagages ?
Può portare i bagagli ?
pou**o** portar**è** i bagaly ?

Où se trouve le **bar** ?
> *Dov'è il bar ?*
> *dov'è il bar ?*

Je voudrais une chambre **calme**... moins chère.
> *Vorrei una camera calma... meno cara.*
> *vorrèï ouna camèra calma... mèno cara.*

Avec vue sur la mer... sur la montagne... sur la rue.
> *Con vista sul mare... sulla montagna... sulla strada.*
> *conn vista soul marè... soulla monntanya... soulla strada.*

Acceptez-vous les eurochèques... les **cartes de crédit** ?
> *Accetta gli eurochèques... le carte di credito ?*
> *atchètta ly eurochèquè... lè cartè di crèdito ?*

Avez-vous des **cartes postales** ? Des timbres ?
> *Ha delle cartoline... dei francobolli ?*
> *a dèllè cartolinè... dèi francobolli ?*

Peut-on voir la **chambre**, s'il vous plaît ?
> *Posso vedere la camera, per favore ?*
> *posso vèdèrè la camèra, pèr favorè ?*

Pouvez-vous me donner la **clef**, s'il vous plaît ?
> *Può darmi la chiave, per favore ?*
> *pouo darmi la kiavè, pèr favorè ?*

J'ai laissé la **clef** à l'intérieur.
> *Ho lasciato la chiave all'interno.*
> *o lachato la kiavè all'inntèrno.*

Avez-vous un **coffre** ?
> *Ha una cassaforte ?*
> *a ouna cassafortè ?*

Nous sommes **complets**.
> *Siamo completi.*
> *siamo commplèti.*

Pourriez-vous faire **descendre** mes bagages ?
> *Può farmi scendere i bagagli ?*
> *pouo farmi chènndèrè i bagaly ?*

hôtel

L'**électricité** (la prise de courant) ne fonctionne pas.
> *L'elettricita (la presa di corrente) non funziona.*
> *l'èlèttritchita (la prèsa di corrènntè) nonn founnd- ziona.*

Voulez-vous m'envoyer la **femme de chambre** ?
> *Vuol mandarmi la cameriera ?*
> *vouol manndarmi la camèrièra ?*

La **fenêtre** (la porte, le verrou) **ferme mal**.
> *La finestra (la porta, il chiavistello) chiude male.*
> *la finèstra (la porta, il kiavistèllo) kioudè malè.*

Le **lavabo**... les toilettes... le bidet... est (sont) bouché(s)
> *Il lavabo... il gabinetto... il bidé... é otturato (sono otturati).*
> *il lavabo... il gabinètto... il bidè... è ottourato (sono ottourati).*

J'ai du linge à faire **laver**... nettoyer... repasser.
> *Ho della biancheria da far lavare... pulire... stirare.*
> *o dèlla biannkèria da far lavarè... poulirè... stirarè.*

Ce n'est pas mon **linge**.
> *Non è la mia biancheria.*
> *nonn è la mia biannkèria.*

Y a-t-il un **message** pour moi ?
> *C'è un messaggio per me ?*
> *tchè oun mèssadjo pèr mè ?*

Pourriez-vous m'expliquer le détail de cette **note** ?
> *Può spiegarmi questo conto più dettagliatamente ?*
> *pouo spiègarmi couèsto connto piou dèttalyata- mènntè ?*

Je ne peux pas **ouvrir** la porte de ma chambre.
> *Non posso aprire la porta della mia camera.*
> *nonn posso aprirè la porta dèlla mia camèra.*

Avez-vous un **parking** ou un garage ?
> *Avete un parcheggio o un garage ?*
> *avètè oun parkèdjo o oun garage ?*

Non, il y a un parcmètre.
> *No, c'è un parchimetro.*
> *no, tchè oun parkimètro.*

hôtel

Je pense **partir** demain. **Préparez ma note**,
s'il vous plaît.
*Penso di partire domani. Mi può preparare
il conto, per favore ?*
*pènnso di partirè domani. Mi pouo prèpararè
il connto pèr favorè ?*

Le **petit déjeuner** est-il inclus ? Servi dans la chambre ?
Avec ou sans supplément ?
*La colazione è inclusa ? Servita in camera ?
Con o senza supplemento ?*
*la coladzionè è innclousa ? sèrvita inn camèra ?
conn o sènndza soupplèmènnto ?*

Petit déjeuner continental ou américain ?
Colazione continentale o all'americana ?
coladzionè conntinènntalè o all'amèricana ?

Je suis **pressé**... en retard.
Ho fretta... sono in ritardo.
o frètta... sono inn ritardo.

Je vous **remercie** de votre excellent service.
La ringrazio del suo eccellente servizio.
la rinngradzio dèl souo ètchèllènntè sèrvidzio.

S'il vous plaît, pouvez-vous me **remettre mon
passeport**... mes papiers d'identité ?
*Per favore, mi può restituire il passaporto...
i documenti ?*
*pèr favorè, mi pouo restituire il passaporto...
i documènnti ?*

Je **rentre** (je reviens) à... heures.
Rientro (ritorno) alle...
riènntro (ritorno) allè...

Avez-vous un bureau de **réservation** pour les
spectacles... les visites touristiques ?
*Avete un ufficio per prenotare gli spettacoli...
le visite turistiche ?*
*avètè oun ouffitcho pèr prènotarè ly spèttacoli...
lè visitè touristikè ?*

Y a-t-il un **restaurant** à l'hôtel ?
C'è un ristorante nell'albergo ?
tchè oun ristoranntè nèll'albèrgo ?

Oui, Monsieur, au premier étage.
Si, Signore, al primo piano.
si, sinyorè, all primo piano.

Combien de temps **restez**-vous ?
Quanto tempo resta ?
couannto tèmmpo rèsta ?

Je pense **rester**... jours... semaines... jusqu'au...
Penso di rimanere... giorni... settimane... fino a...
pènnso di rimanèrè... djorni... sèttimanè... fino a...

Voudriez-vous me **réveiller** à... heures ?
Può farmi svegliare alle...
pouo farmi svèlyarè allè...

Je voudrais une **serviette** de bain... une couverture...
du fil à coudre et une aiguille... du savon... du papier à
lettres... une enveloppe.
Vorrei un asciugamano... una coperta... un ago e del
filo... del sapone... della carta da lettere... una
busta.
vorrèï oun achougamano... ouna copèrta... oun ago
è dèl filo... dèl saponè... dèlla carta da lèttèrè...
ouna bousta...

Le **stationnement** est-il permis dans cette rue ?
Il parcheggio è permesso in questa strada ?
il parkèdjo è pèrmèsso inn couèsta strada ?

Je voudrais **téléphoner** en France... en ville.
Vorrei telefonare in Francia... in città.
vorrèï tèlèfonarè inn Franntcha... inn tchitta.

Vous appelez de votre chambre le numéro...
Dalla sua camera lei sta chiamando il numero...
dalla soua camèra lei sta kiamanndo il noumèro...

hôtel

Combien de **temps** faut-il pour aller à la gare...
à l'aéroport ?
*Quanto tempo ci vuole per la stazione...
per l'aeroporto ?*
*couannto tèmmpo tchi vouolè pèr la statsionè...
pèr l'aèroporto ?*

Nos **voisins** sont bruyants.
I nostri vicini sono rumorosi.
i nostri vitchini sono roumorosi.

Quel est le **voltage** ?
Qual'è il voltaggio ?
coualè il voltadjo ?

VOCABULAIRE

Français	Italien	Prononciation
Accueil	l'accoglienza	accolyènndza
Air conditionné	l'aria condizionata	aria conndidzionata
Ampoule	la lampadina	lammpadina
Arrivée	l'arrivo	arrivo
Ascenseur	l'ascensore	achènnsorè
Bagages	i bagagli	bagaly
Baignoire	la vasca da bagno	vasca da banyo
Balcon	il balcone	balconè
Bidet	il bidè	bidè
Caisse	la cassa	cassa
Cendrier	il portacenere	portatchènèrè
Chaise	la sedia	sèdia
Chambre	la camera	camèra
Chasse d'eau	lo sciacquone	chacouonè
Chaud	caldo	caldo
Chauffage	il riscaldamento	riscaldamènnto
Chèque de voyage	l'assegno di viaggio	assènyo di viadjo
Cintre	l'attaccapanni	attaccapanni
Clef	la chiave	kiavè
COMPLET	COMPLETO	commplèto
CONCIERGE	SEGRETARIO ALLA RECEPTION	sègrètario alla rècèption
Courant	la corrente	corrènntè
Couverture	la coperta	copèrta
Demi-pension	la mezza pensione	mèdza pènnsionè
Départ	la partenza	partènntsa
Direction	la direzione	dirètsionè
Douche	la doccia	dotcha
Draps	le lenzuola	lènndzouola

hôtel

Eau chaude	l'acqua calda	acoua calda
– froide	– fredda	– frèdda
Écoulement	lo scolo	scolo
Escalier	la scala	scala
Étage	il piano	piano
Femme de chambre	la cameriera	camèrièra
FERMÉ	CHIUSO	kiouso
Froid	freddo	frèddo
Fuite	la perdita	pèrdita
Interrupteur	l'interruttore	intèrrouttorè
Lit	il letto	lètto
Lumière	la luce	loutchè
Manger	mangiare	manndjarè
Matelas	il materasso	matèrasso
Miroir	lo specchio	spèkio
Nettoyer	pulire	poulirè
Note	il conto	connto
OUVERT	APERTO	apèrto
Papiers d'identité	la carta d'identità	carta d'idènntita
Passeport	il passaporto	passaporto
Pension complète	la pensione completa	pènnsionè commplèta
Porteur	il facchino	fakkino
Portier	il portiere	portièrè
Rasoir électrique	il rasoio elettrico	rasoïo èlèttrico
– mécanique	il rasoio	rasoïo
RÉCEPTION	RECEPTION	récèption
Réfrigérateur	il frigorifero	frigorifèro
Rez-de-chaussée	piano terra	piano tèrra
Robinet	il rubinetto	roubinètto
SALLE À MANGER	SALA DA PRANZO	sala da pranndzo
Salle de bains	il bagno	banyo
Savon	il sapone	saponè
SERVICE	SERVIZIO	sèrvitsio
Serviette de bain	l'asciugamano	achougamano
Table de nuit	il comodino	comodino
Terrasse	la terrazza	terradza
TOILETTES	GABINETTO	gabinètto
Verrou	il catenaccio	catènatcho
Voltage	il voltaggio	voltadjo

PETIT DÉJEUNER
colazione (colatsionè)

Français	Italien	Prononciation
Assiette	il piatto	piatto
Beurre	il burro	bourro
Boire	bere	bèrè
Bol	la scodella	scodèlla
Café	il caffè	caffè
– au lait	il caffellatte	caffèllattè
Chaud	caldo	caldo
Chocolat	il cioccolato	tchoccolato
– (boisson)	la cioccolata	tchoccolata
Citron	il limone	limonè
Confiture	la marmellata	marmèllata
Couteau	il coltello	coltèllo
Cuiller	il cucchiaio	coukkiaïo
– (petite)	il cucchiaino	coukkiaïno
Eau	l'acqua	acoua
Fourchette	la forchetta	forkètta
Froid	freddo	frèddo
Fromage	il formaggio	formadjo
Fruit	la frutta	froutta
Jambon	il prosciutto	prochoutto
Jus de citron	il succo di limone	soucco di limonè
– d'orange	– d'arancia	– d'aranntcha
– de pamplemousse	– di pompelmo	– di pommpèlmo
– de pomme	– di mela	– di mèla
Manger	mangiare	manndjarè
Miel	il miele	mièlè
Œufs brouillés	le uova strapazzate	ouova strapadzatè
– à la coque	– alla coque	– alla coquè
– sur le plat	– al tegamino	– all tègamino
Omelette	la frittata	frittata
Pain	il pane	panè
Poivre	il pepe	pèpè
Saucisses	le salsicce	salsitchè
Sel	il sale	salè
Soucoupe	il piattino	piattino
Sucre	lo zucchero	dzoukèro
Table	la tavola	tavola
Tasse	la tazza	tadza
Thé	té	tè
Toasts	i toast	toast
Verre	il bicchiere	bikkièrè
Yoghourt	lo yogurt	yogourt

hôtel (petit déjeuner)

animaux de compagnie

ANIMAUX DE COMPAGNIE

animali domestici (animali domèstitchi)

Acceptez-vous les **animaux**... les chats... les chiens ?
Accettate gli animali... i gatti... i cani ?
atchèttatè ly animali... i gatti... i cani ?

Mon chien n'est pas **méchant**.
Il mio cane non è cattivo.
il mio canè nonn è cattivo.

Faut-il payer un **supplément** ?
Devo pagare un supplemento ?
dèvo pagarè oun soupplèmennto ?

Où puis-je trouver un **vétérinaire** ?
Dove posso trovare un veterinario ?
dovè posso trovarè oun vètèrinario ?

VOCABULAIRE

Aboyer	abbaiare	abbaïarè
Certificat	il certificato	tchèrtificato
Chat	il gatto	gatto
Chien	il cane	canè
Chienne	la cagna	canya
Collier	il collare	collarè
Croc	la zanna	dzanna
Docile	docile	dotchilè
Enragé	arrabbiato	arrabbiato
Gueule	le fauci	faoutchi
Laisse	il guinzaglio	gouinntsalyo
Malade	malato	malato
Miauler	miagolare	miagolarè
Muselière	la musoliera	mousolièra
Obéissant	obbediente	obbèdiènntè
Pattes	le zampe	dzammpè
Propre	pulito	poulito
Queue	la coda	coda
Vaccin	il vaccino	vatchino

RESTAURATION / CAFÉ
ristorazione (ristoratsionè)
caffè (cafè)

restauration, café

Pouvez-vous m'indiquer un bon restaurant...
un restaurant typique ?
> *Può indicarmi un buon ristorante...*
> *un ristorante tipico ?*
> *pouo inndicarmi oun bouonn ristorannтè...*
> *oun ristoranntè tipico ?*

Un restaurant bon marché... à prix raisonnables ?
> *Un ristorante a buon mercato... con dei prezzi*
> *ragionevoli ?*
> *oun ristoranntè a bouonn mèrcato... conn dèi*
> *prèdzi radjonèvoli ?*

FERMÉ	OUVERT	COMPLET
CHIUSO	APERTO	COMPLETO
kiouso	apèrto	commplèto

Apportez-moi la carte, s'il vous plaît.
> *Mi porti il menù, per favore.*
> *mi porti il mènou, pèr favorè.*

Avez-vous une table libre... dehors... sur la terrasse...
près de la fenêtre.
> *Ha una tavola libera... fuori... sulla terrazza... vicino*
> *alla finestra.*
> *a ouna tavola libèra... soulla tèrratsa... vitchino alla*
> *finèstra.*

Non, Monsieur, tout est réservé.
> *No, Signore, è tutto prenotato.*
> *no, sinyorè, è toutto prènotato.*

S'il vous plaît, je voudrais une **boisson**... chaude...
fraîche... une bière... un verre de... un jus de fruits.
> *Per favore, vorrei una bibita... calda... fresca... una*
> *birra... un bicchiere da... un succo di frutta.*
> *pèr favorè, vorrèï ouna bibita... calda... frèsca... ouna*
> *birra... oun bikkièrè da... oun soucco di froutta.*

Que me conseillez-vous sur la **carte** ?
Cosa mi consiglia in questo menù ?
cosa mi connsilya inn couèsto mènou ?

Je n'ai pas **commandé** cela.
Non è ciò che ho ordinato.
nonn è tcho kè o ordinato.

C'est trop **cuit**... ce n'est pas assez cuit.
È troppo cotto... non è abbastanza cotto.
è troppo cotto... nonn è abbastanndza cotto.

Pouvons-nous **déjeuner**... **dîner**.
Possiamo pranzare... cenare ?
possiamo pranndzarè... tchènarè ?

Pouvez-vous attendre un moment ?
Può aspettare un attimo ?
pouo aspèttarè oun attimo ?

Je ne désire pas d'**entrée**.
Non desidero un antipasto.
nonn dèsidèro oun anntipasto.

Il y a une **erreur**.
C'è un errore.
tchè oun èrrorè.

Est-ce **fromage** ou **dessert**, ou les deux ?
Formaggio o dolce, o tutti e due ?
formadjo o doltchè, o toutti è douè ?

Servez-vous un **menu** à prix fixe ?
Avete un menù turistico ?
avètè oun mènou touristico ?

Pouvez-vous **réchauffer** ce plat, il est froid.
Può riscaldare questo piatto ? È freddo.
pouo riscaldarè couèsto piatto ? è frèddo.

J'ai **réservé** une table pour deux personnes.
Ho prenotato un tavolo per due persone.
o prènotato oun tavolo pèr douè pèrsonè.

Je voudrais **réserver** une table pour quatre personnes.
Vorrei prenotare un tavolo per quattro persone.
vorrèï prènotarè oun tavolo pèr couattro pèrsonè.

Le **service** est-il compris ?
Il servizio è compreso ?
il servìsìo è commprèso ?

L'addition **s'il vous plaît**.
Il conto per favore.
il connto pèr favorè.

Où sont les **toilettes**, s'il vous plaît ?
Dove sono le toilette, per favore ?
dovè sono lè toilèttè, pèr favorè ?

Ce **vin** sent le bouchon.
Questo vino sa di tappo.
couèsto vino sa di tappo.

VOCABULAIRE

Addition	il conto	connto
Agneau	l'agnello	anyèllo
Ail (avec)	con l'aglio	conn l'alyo
– (sans)	senza l'aglio	sènntsa l'alyo
Anchois	le acciughe	atchouguè
Apéritif	l'aperitivo	apèritivo
Assaisonner	condire	conndirè
Assiette	il piatto	piatto
Aubergines	le melanzane	mèlanntsanè
Beurre	il burro	bourro
Bière blonde	la birra bionda	birra bionnda
– bouteille	la bottiglia di birra	bottilya di birra
– brune	la birra bruna	birra brouna
– pression	la birra alla spina	birra alla spina
Bleu	blu	blou
Bœuf	il manzo	manndzo
Boisson	la bibita	bibita
Bouchon	il tappo	tappo
Bouilli	bollito	bollito
Bouteille	la bottiglia	bottilya
Braisé	brasato	brasato
Brûlé	bruciato	broutchato
Café	il caffè	caffè
– fort	– forte	– fortè
– léger	– leggero	– lèdjèro
– au lait	il caffellatte	caffèllattè
Caille	la quaglia	coualya
Canard	l'anatra	anatra
Carafe	la caraffa	caraffa

restauration, café

Carottes	le carote	caroté
Cendrier	il portacenere	portatchénéré
Champignons	i funghi	founngui
Charcuterie	gli affettati	affèttati
Chaud	caldo	caldo
Chocolat	il cioccolato	tchoccolato
Chou	il cavolo	cavolo
Citron	il limone	limoné
Courgettes	i zucchini	dzoucchini
Couteau	il coltello	coltèllo
Couverts	le posate	posaté
Crème	la panna	panna
Cuiller à soupe	il cucchiaio	coukkiaïo
– (petite)	il cucchiaino	coukkiaïno
Cuit	cotto	cotto
– (bien)	ben cotto	bènn cotto
– (peu)	poco cotto	poco cotto
– au four	cotto al forno	cotto all forno
– à la vapeur	– al vapore	– all vaporé
Cure-dents	lo stuzzicadenti	stoutsicadènnti
Déjeuner	il pranzo	pranndzo
– (petit)	la colazione	colatsioné
Dessert	il dolce	doltché
Diététique	dietetico	diétético
Eau minérale gazeuse	l'acqua minerale gasata	acoua minéralé gasata
– plate	– naturale	– natouralé
Épices	le spezie	spétsié
Faim	la fame	famé
Farci	farcito ou ripieno	fartchito ou ripièno
Foie	il fegato	fégato
Fourchette	la forchetta	forkètta
Frais	fresco	frèsco
Fraises	le fragole	fragolé
Framboises	i lamponi	lammponi
Frit	fritto	fritto
Frites	le patatine fritte	patatiné fritté
Fromage	il formaggio	formadjo
Fruit	il frutto	froutto
Fruits de mer (coquillages)	i frutti di mare, le vongole	froutti di maré, vonngolé
Garçon	il cameriere	camèrièrè
Gibier	la selvaggina	sélvadjina
Gigot	il cosciotto	cochotto
Glace	il gelato	djélato
Goût	il gusto	gousto
Grillé	alla griglia	grilya
Haricots en grains	i fagioli	fadjoli

– verts	i fagiolini	fadjolini
Huile	l'olio	olio
– d'olive	– d'oliva	– d'oliva
Jambon	il prosciutto	prochoutto
Jus de fruits	il succo di frutta	soucco di froutta
Langoustines	gli scampi	scammpi
Lapin	il coniglio	conilyo
Légumes	la verdura	vèrdoura
Melon	il melone	mèlonè
Menu	il menu	mènou
Moutarde	la senape	sènapè
Mouton	il montone	monntonè
Nappe	la tovaglia	tovalya
Œufs brouillés	le uova strapazzate	ouova strapadzatè
– à la coque	alla coque	– alla coquè
– au plat	– al tegamino	– all tègamino
– durs	– sode	– sodè
Oignons	le cipolle	tchipollè
Omelette	la frittata	frittata
Pâtes	la pasta	pasta
Pâtisserie	la pasticceria	pastitchèria
Pêche	la pesca	pèsca
Petits pois	i piselli	pisèlli
Pichet	la caraffa	caraffa
Plat	la pietanza	piètanntsa
– du jour	la specialità	spètchalita
Point (à)	cotto a puntino	cotto a pounntino
Poireaux	i porri	porri
Poivre	il pepe	pèpè
Poivrons	i peperoni	pèpèroni
Pommes de terre	le patate	patatè
Porc	il maiale	maïalè
Portion	la porzione	portsionè
Potage	la minestra	minèstra
Poulet	il pollo	pollo
Riz	il riso	riso
Rôti	l'arrosto	arrosto
Saignant	al sangue	all sanngouè
Salade	l'insalata	innsalata
Sauce	il sugo	sougo
Sel	il sale	salè
– (sans)	senza salé	sènntsa salè
Serviette	il tovagliolo	tovalyolo
Steak	la bistecca	bistècca
– haché	l'hamburgher, carne macinata	ambourguèr, carnè matchinnata
Sucre	lo zucchero	dzoukkèro

restauration, café

Sucré	zuccherato	dzoukkèrato
Tarte	la torta	torta
Tasse	la tazza	tadza
Tendre	tenero	tènèro
Thé	té	tè
Tomates	i pomodori	pomodori
Tranche	la fetta	fètta
Veau	il vitello	vitèllo
Verre	il bicchiere	bikkièrè
Viande	la carne	carnè
Vin	il vino	vino
– blanc	bianco	biannco
– rouge	rosso	rosso
– rosé	rosato	rosato
Vinaigre	l'aceto	atchéto
Volaille	il pollame	pollamè

ACHATS

LES PHRASES INDISPENSABLES

Je voudrais **acheter**...
Vorrei comprare...
vorrèï commprarè...

Pouvez-vous m'**aider** ?
Può aiutarmi ?
pouo aioutarmi ?

En **avez-vous** d'autres... moins chers... plus grands...
plus petits... ?
Ne ha altri... meno cari... più grandi... più piccoli... ?
nè a altri... mèno cari... piou granndi... piou
piccoli... ?

Acceptez-vous les **cartes de crédit** ?
Accetta le carte di credito ?
atchètta le cartè di crèdito ?

Où est le **centre commercial** ?... le marché ?
Dov'è il centro commerciale... il mercato ?
dov'è il tchènntro commèrtchalè... il mèrcato ?

Au coin de la rue.
All'angolo della strada.
all'anngolo dèlla strada.

Première rue à droite.
Prima strada a destra.
prima strada a dèstra.

Deuxième à gauche
Seconda a sinistra
sèconnda a sinistra.

Tout près d'ici.
Qui vicino.
coui vitchino.

C'est loin.
È lontano.
è lonntano.

Pouvez-vous me donner le **certificat d'origine** ?
Può darmi il certificato d'origine ?
pouo darmi il tchèrtificato d'oridjinè ?

Cela me **convient**.
Mi va bene.
mi va bènè.

J'aimerais une **couleur** moins... plus foncée... claire.
Vorrei un colore meno... più scuro... chiaro.
vorrèï oun colore mèno... piou skouro... kiaro.

Combien cela **coûte**-t-il ?
Quanto costa ?
couannto costa ?

Quels sont les **droits de douane** à payer ?
Quali sono i diritti di dogana da pagare ?
couali sono i diritti di dogana da pagarè ?

Puis-je **essayer**... **échanger** ?
Posso provare... cambiare ?
posso provarè... cammbiarè ?

À quelle heure **fermez-vous** ?
A che ora chiude ?
a kè ora kioudè ?

J'**hésite** encore.
Esito ancora.
èsito ancora.

Pouvez-vous faire **livrer** ce paquet à l'hôtel ?
Può far consegnare questo pacchetto all'hotel ?
pouo far consenyarè couèsto pakkètto all'hotèl ?

Avez-vous de la **monnaie** ?
Ha moneta ?
a monèta ?

Pouvez-vous me **montrer**... ?
Può mostrarmi... ?
pouo mostrarmi... ?

Où dois-je **payer** ?... À la caisse.
Dove devo pagare ?... Alla cassa.
dovè dèvo pagarè ? Alla cassa.

Celui-ci me **plairait** davantage.
Questo mi piacerebbe di più.
couèsto mi piatchèrèbbè di piou.

les phrases indispensables

Écrivez-moi le **prix**, s'il vous plaît.
Mi scriva il prezzo, per favore.
mi scriva il prètso, pèr favorè.

Puis-je **regarder**, s'il vous plaît ?
Posso guardare, per favore ?
posso gouardarè pèr favorè ?

Pouvez-vous me **rembourser** ?
Può rimborsarmi ?
pouo rimmborsarmi ?

Je **repasserai** dans la journée... demain.
Ripasserò in giornata... domani.
ripassèro inn djornata... domani.

Ceci fait-il partie des **soldes** ?
Questo fa parte dei saldi ?
couèsto fa partè dèi saldi ?

Acceptez-vous les **Traveller chèques** ?
Accetta i Traveller chèques ?
atchètta i traveller chèque ?

Cela me **va** bien.
Mi va bene.
mi va bènè.

Merci, au revoir !
Grazie, arrivederci !
gratsiè, arrivèdèrtchi !

APPAREILS ÉLECTRIQUES / HI-FI
elettrodomestici (èlèttrodomèstitchi)
hi-fi (hi-fi)

Un **adaptateur** est-il nécessaire ?
È necessario un adattatore ?
è nètchèssario oun adattatorè ?

Cet **appareil** est déréglé.
Questo apparecchio non funziona.
couèsto apparèkkio nonn founntsiona.

Pouvez-vous me donner le **certificat de garantie** ?
Può darmi il certificato di garanzia ?
pouo darmi il tchèrtificato di garanndzia ?

Quels sont les **droits de douane** à payer ?
Quali sono i diritti di dogana da pagare ?
couali sono i diritti di dogana da pagarè ?

Le **fusible** a sauté.
È saltato il fusibile.
è saltato il fousibilè.

Avez-vous ce type de **piles** ?
Ha questo tipo di pile ?
a couèsto tipo di pilè ?

Ma **radio** est en panne.
La mia radio non funziona.
la mia radio nonn founntsiona.

Pouvez-vous le (ou la) **réparer** ?
Può ripararlo (ripararla) ?
pouo ripararlo (ripararla) ?

Quand pourrais-je le (ou la) **reprendre** ?
Quando potrò riprenderlo (riprenderla) ?
couanndo potro riprènndèrlo (riprènndèrla) ?

appareils électriques, hi-fi

appareils électriques, hi-fi

VOCABULAIRE

Français	Italien	Prononciation
Adaptateur	l'adattatore	adattatorè
Ampérage	l'amperaggio	ammpéradjo
Amplificateur	l'amplificatore	ammplificatorè
Ampoule	la lampadina	lammpadina
Antenne	l'antenna	anntènna
Bande magnétique	la banda magnetica	bannda manyética
Bouilloire	il bollitore	bollitorè
Brancher	innestare	innèstarè
Bruit	il rumore	roumorè
Câble	il cavo	cavo
Cafetière	la caffettiera	caffèttièra
Calculatrice	la calcolatrice	calcolatritchè
Cassette	la cassetta	cassètta
– vierge	– vergine	– verdjinè
Courant	la corrente	corrènnté
Dévisser	svitare	svitarè
Disque compact	il compact disc	compact disk
Écouteur	la cuffia	couffia
Fer à repasser	il ferro da stiro	fèrro da stiro
Fréquence	la frequenza	frècouènntsa
Garantie	la garanzia	garanntsia
Grille-pain	il tostapane	tostapanè
Haut-parleur	l'altoparlante	altoparlanntè
Interrupteur	l'interruttore	intèrrouttorè
Lampe	la lampada	lammpada
Magnétophone	il magnetofono	manyétofono
Magnétoscope	il videoregistratore	vidèorèdjistratorè
Pile	la pila	pila
Portatif	portabile	portabilè
Prise double	la spina multipla	spina moultipla
– simple	la spina	spina
Raccord	il raccordo	raccordo
Radio	la radio	radio
Rallonge	la prolunga	prolounnga
Rasoir	il rasoio	rasoïo
Réparation	la riparazione	riparatsionè
Réparer	riparare	ripararè
Résistance	la resistenza	rèsistènntsa
Réveil	la sveglia	svèlya
Sèche-cheveux	l'asciugacapelli	achougacapèlli
Tête de lecture	la puntina	pountina
Touche	il tasto	tasto
Transformateur	il trasformatore	trasformatorè
Visser	avvitare	avvitarè
Voltage 110	il voltaggio centodieci	voltadjo tchèntodiètchi
– 220	– duecentoventi	– duétchèntovènnti

BANQUE
banca (bannca)

banque

Où est la **banque** la plus proche ?
Dov'è la banca più vicina ?
dov'è la bannca piou vitchina ?

J'ai une **carte de crédit**.
Ho una carta di credito.
o ouna carta di crèdito.

Y a-t-il un bureau de **change** près d'ici ?
C'è un ufficio cambio qui vicino ?
tchè oun ouffitcho cammbio coui vitchino ?

Je voudrais **changer** des francs suisses.
Vorrei cambiare dei franchi svizzeri.
vorrèï cammbiarè dèi frannki svitsèri.

Je voudrais encaisser ce **chèque de voyage**.
Vorrei incassare questo Traveller chèque.
vorrèï inncassarrè couèsto traveller chèque.

Quel est le **cours du change** ?
Qual'è il corso del cambio ?
coualè il corso dèl cammbio ?

Où dois-je **signer** ?
Dove devo firmare ?
dovè dèvo firmarè ?

J'attends un **virement**. Est-il arrivé ?
Aspetto un mandato (bancogiro). È arrivato ?
aspètto oun manndato (banncodjiro). è arrivato ?

VOCABULAIRE

Argent	il denaro	dènaro
Billet	il biglietto	bilyètto
CAISSE	CASSA	cassa
Carnet de chèques	il libretto di assegni	librètto di assèny
Carte de crédit	la carta di credito	carta di crèdito
CHANGE	CAMBIO	cammbio
Changer	cambiare	cammbiarè
Chèque	l'assegno	assènyo

banque

– de voyage	il traveller	traveller
Commission	la commissione	commissionè
Compte	il conto	connto
Cours	il corso	corso
Devise	la valuta	valouta
Distributeur de billets	lo sportello automatico	sportèllo automatico
Encaisser	incassare	inncassarè
Espèces	i contanti	conntannti
Eurochèque	eurochèque	eurochèque
Formulaire	il formulario	formoulario
Guichet	lo sportello	sportèllo
Monnaie	la moneta	monèta
Montant	l'importo	importo
Paiement	il pagamento	pagamènnto
Payer	pagare	pagarè
Reçu	la ricevuta	ritchèvouta
Retirer	ritirare	ritirarè
Signature	la firma	firma
Signer	firmare	firmarè
Versement	il versamento	vèrsamènnto
Virement	il mandato, il bancogiro	manndato, banncodjiro

BIJOUTERIE / HORLOGERIE
gioielleria (djoïelléria)
orologeria (orolodjéria)

Je voudrais voir le **bracelet** qui est en vitrine.
Vorrei vedere il braccialetto in vetrina.
vorrèï védérè il bratchalètto inn vétrina.

Pouvez-vous me donner le **certificat d'origine** ?
Può darmi il certificato d'origine ?
pouo darmi il tchèrtificato d'oridjinè ?

Avez-vous un **choix** de bagues ?
Ha degli anelli ?
a dély anèlli ?

Quels sont les **droits de douane** à payer ?
Quali sono i diritti di dogana da pagare ?
couali sono i diritti di dogana da pagarè ?

Auriez-vous un **modèle** plus simple ?
Ha un modello più semplice ?
a oun modèllo piou sèmmplitchè ?

Ma **montre** ne fonctionne plus.
Il mio orologio non funziona più.
il mio orolodjo non founntsiona piou.

Pouvez-vous **remplacer** le verre ?
Può cambiarmi il vetro ?
pouo cammbiarmi il vètro ?

Le **verre** est cassé.
Il vetro è rotto.
il vètro è rotto.

VOCABULAIRE

Acier inoxydable	l'acciaio inossidabile	atchaïo inossidabilè
Aiguille	la lancetta	lanntchètta
Ambre	l'ambra	ammbra
Argent massif	l'argento massiccio	ardjènnto massitcho
– plaqué	placcato argento	placcato ardjènnto
Bague	l'anello	anèllo

bijouterie, horlogerie

Français	Italien	Prononciation
Bijoux	i gioielli	djoïèlli
Boucle	la fibbia	fibbia
– d'oreille	l'orecchino	orèkkino
Boutons de manchette	i polsini	polssini
Bracelet-montre	l'orologio da polso	orolodjo da polso
Briquet	l'accendino	atchènndino
Broche	la spilla	spilla
Cadeau	il regalo	règalo
Carat	il carato	carato
Chaîne	la catena	catèna
Chaînette	la catenina	catènina
Chronomètre	il cronometro	cronomètro
Collier	la collana	collana
Couverts	le posate	posatè
Épingle de cravate	la spilla da cravatta	spilla da cravatta
Étanche (montre)	subacquea	soubacouèa
Ivoire	l'avorio	avorïo
Médaille	la medaglia	mèdalya
Montre	l'orologio	orolodjo
– automatique	– automatico	– aoutomatico
Or massif	oro massiccio	oro massitcho
– plaqué	placcato oro	placcato oro
Pendentif	il pendente	pènndènntè
Pierres précieuses	le pietre preziose	piètre prètsiosè
– semi-précieuses	– dure	– dourè
Pile	le pile	pilè
Ressort	la molla	molla
Réveil de voyage	la sveglia da viaggio	svèlya da viadjo
Verre (de montre)	il vetro (da orologio)	vètro da orolodjo

BOUCHERIE / CHARCUTERIE
macelleria (matchèllèria)
salumeria (saloumèria)

Moins cher... **moins** gros... **moins** gras.
Meno caro... meno grosso... meno grasso.
mèno caro... mèno grosso... mèno grasso.

Auriez-vous un autre **morceau** ?
Ha un altro pezzo ?
a oun altro pèdzo ?

VOCABULAIRE

Français	Italien	Prononciation
Agneau (côte d')	l'agnello (costoletta di)	anyéllo (costolètta di)
Bœuf (côte de)	il manzo (braciola di)	manndzo (bratchola di)
– (rôti de)	– (arrosto di)	– (arrosto di)
– (steak)	– (bistecca di)	– (bistècca di)
– (steak haché)	– (carne macinata)	– (carnè matchinata)
Entrecôte	la fracosta	fracosta
Filet	il filetto	filètto
Foie	il fegato	fégato
Gibier	la selvaggina	sèlvadjina
Gras	il grasso	grasso
Jambon	il prosciutto	prochoutto
Lard	il lardo	lardo
Maigre	magro	magro
Morceau	il pezzo	pètso
Mouton (épaule de)	il montone (spalla di)	monntonè (spalla di)
– (gigot de)	– (cosciotto di)	– (cochotto di)
Porc	il maiale	maïalè
Saucisse	la salsiccia	salssitcha
Saucisson	il salame	salamè
Tendre	tenero	ténèro
Tranche	la fetta	fètta
Veau (escalope de)	il vitello (scaloppa di)	vitèllo (skaloppa di)
Volaille	il pollame	pollamè
canard	l'anatra	annatra
dinde	il tacchino	takkino
lapin	il coniglio	conilyo
poulet	il pollo	pollo
pintade	la faraona	faraona

boucherie, charcuterie

BOULANGERIE / PÂTISSERIE
panificio (panifitcho)
pasticceria (pastitchéria)

VOCABULAIRE

Bien cuit	ben cotto	bènn cotto
Biscotte	la fetta biscottata	fètta biscottata
Croissant	il cornetto	cornètto
Farine	la farina	farina
Gâteau	il dolce	doltché
Levure	il lievito	lièvito
Pain	il pane	pané
Pâte	la pasta	pasta
Peu cuit	poco cotto	poco cotto
Tarte	la torta	torta

CHAUSSURES / CORDONNIER
scarpe (scarpé) / *calzolaio* (caltsolaïo)

Où puis-je trouver un **cordonnier** ?
Dove posso trovare un calzolaio ?
dové posso trovaré oun caltsolaïo ?

Puis-je **essayer** ?
Posso provare ?
posso provaré ?

Ces chaussures sont **étroites**. Pouvez-vous les mettre sur la forme ?
Queste scarpe sono strette. Può allargarmele ?
couèsté scarpé sono strètté. pouo allargarmèlé ?

Avez-vous un **modèle** du même genre ?
Ha un modello dello stesso tipo ?
a oun modèllo dèllo stesso tipo ?

Quand seront-elles **prêtes** ?
Quando saranno pronte ?
couanndo saranno pronnté ?

Prenez-vous les **réparations** rapides ?
Fate riparazioni rapide ?
faté riparatsioni rapidé ?

VOCABULAIRE

Beige	crema	crèma
Blanc	bianco	biannco
Bottes	i stivali	stivali
Brun	bruno	brouno
Caoutchouc	la gomma	gomma
Chausse-pieds	il corno per calzature	corno pér caltsatouré
Cirage	il lucido da scarpe	loutchido da scarpé
Clouer	inchiodare	innkiodaré
Coller	incollare	inncollaré
Cordonnier	il calzolaio	caltsolaïo
Court	corto	corto
Cuir véritable	il vero cuoio	vèro couoïo
Daim	il camoscio	camochio
Embauchoirs	il gambale	gammbalé
Étroit	stretto	strètto

chaussures, cordonnier

Grand	grande	granndé
Lacet	laccio	latcho
Large	largo	largo
Noir	nero	néro
Paire	il paio	païo
Petit	piccolo	piccolo
Pointure	il numero	noumèro
Recoudre	ricucire	ricoutchirè
Ressemelage	risuolare	rissouolarè
Rouge	rosso	rosso
Sandales	i sandali	sanndali
Semelles	le suole	souolé
Talon	il tacco	tacco
Tissu	il tessuto	tessouto
Toile	la tela	téla
Vernis	la vernice	vérnitché
Vert	verde	vérdé

COIFFEUR
parrucchiere (parroukièrè)

Pouvez-vous m'indiquer un coiffeur ?
Può indicarmi un parrucchiere ?
pouo inndicarmi oun parroukièrè ?

Faites-moi des **boucles**... des ondulations.
Mi faccia dei ricci... delle ondulazioni.
mi fatcha dèi ritchi... dèlle onndoulatsioni.

Je voudrais une **coloration** en brun... châtain... noir...
roux... une teinture au henné... une décoloration.
Vorrei tingere i capelli in bruno... castano... nero...
rosso... una tintura all'henné... schiarire i capelli.
vorrèï tinndjère i capèlli inn brouno... castano...
nèro... rosso... ouna tinntoura all'hènnè... skiarirè i
capèlli.

Combien vous dois-je ?
Quanto le devo ?
couannto lè dèvo ?

Ne **coupez** pas trop **court**.
Non tagli troppo corto.
non taly troppo corto.

L'**eau** est trop froide... trop chaude.
L'acqua è troppo fredda... troppo calda.
l'acoua è troppo frèdda... troppo calda.

Avez-vous une **manucure** ?
Ha una manicure ?
a ouna manicourè ?

Je **ne veux pas** de gel... ni de laque.
Non voglio gel... e neanche lacca.
non volyo djèl... è nèannkè lacca.

Quel est le **prix** d'une coupe... d'une mise en plis...
d'une permanente ?
Quant'è per un taglio... una messa in piega...
una permanente ?
couanntè pèr oun talyo... ouna mèssa inn pièga...
ouna pèrmanènntè ?

coiffeur

Je voudrais me faire **raser**.
Vorrei farmi radere.
vorrèï farmi radèrè.

Je voudrais un **rendez-vous**.
Vorrei un appuntamento.
vorrèï oun appounntamènnto.

Faites-moi un **shampooing**... un brushing.
Mi faccia uno shampo... un brushing.
mi fatcha ouno chammpo... oun brouchinng.

VOCABULAIRE

Blond	biondo	bionndo
Boucles	i ricci	ritchi
Brosse	la spazzola	spatsola
Brun	bruno	brouno
Brushing	brushing	brouchinng
Casque	il casco	casco
Châtain	castano	castano
Cheveux	i capelli	capèlli
– gras	– grassi	– grassi
– raides	– dritti	– dritti
– secs	– secchi	– sèkki
Chignon	lo chignon	chignon
Ciseaux	le forbici	forbitchi
Clair	chiaro	kiaro
Coupe	il taglio	talyo
Couper	tagliare	talyarè
Court	corto	corto
Derrière	dietro	diètro
Devant	davanti	davannti
Foncé	scuro	skouro
Frange	la frangia	franndja
Friction	la frizione	fritsionè
Laque	la lacca	lacca
Long	lungo	lounngo
Manucure	la manicure	manicourè
Mèche	la ciocca	tchocca
Mise en plis	la messa in piega	mèssa inn pièga
Nacré	madreperlato	madrèpèrlato
Nuance	la sfumatura	sfoumatoura
Nuque	la nuca	nouca
Ondulations	le ondulazioni	onndoulatsioni
Oreilles	gli orecchi	orèki
Pédicure	il pedicure	pèdicourè

Peigne	il pettine	pèttinè
Permanente	la permanente	pèrmanènntè
Perruque	la parrucca	parroucca
Poil	il pelo	pòlo
Raie	la riga	riga
Raser	radere	radèrè
Rasoir	il rasoio	rasoïo
Retouche	il ritocco	ritocco
Savon	il sapone	saponè
Séchoir	l'asciugacapelli	achougacapèlli
Shampooing	lo shampo	chammpo
Teinture	la tinta	tinnta

coiffeur

crémerie

CRÉMERIE
latteria (lattèria)

VOCABULAIRE

Français	Italien	Prononciation
Beurre	il burro	bourro
Bouteille	la bottiglia	bottilya
Crème	la panna	panna
Frais	fresco	frésco
Fromage	il formaggio	formadjo
– blanc	la ricotta	ricotta
– français	il formaggio francese	formadjo franntchésé
– local	– locale	– localé
Lait	il latte	latté
– écrémé	– scremato	– scrémato
– entier	– intero	– intéro
– pasteurisé	– pastorizzato	– pastoridzato
Litre de...	il litro di...	litro di...
Œufs	le uova	ouova
– (douzaine d')	dozzina di uova	dodzina di ouova
Yoghourt	lo yogurt	yogourt

ÉPICERIE / BOISSONS
alimentari (aliménntari) / *bibite* (bibité)

épicerie, boissons

VOCABULAIRE

Apéritif	l'aperitivo	apéritivo
Biscotte	la fetta biscottata	fétta biscottata
Boîte de carottes	le carote in scatola	caroté inn scatola
– de haricots verts	i fagiolini in scatola	fadjolini inn scatola
– de petits pois	i piselli in scatola	pisélli inn scatola
Bouchon	il tappo	tappo
Bouteille	la bottiglia	bottilya
Café	il caffé	caffé
Carton (emballage)	il cartone	cartoné
Chocolat	il cioccolato	tchoccolato
– en poudre	– in polvere	– inn polvéré
– en tablette	la tavoletta	tavolétta
	di cioccolato	di tchoccolato
Confiture	la marmellata	marméllata
Eau minérale	l'acqua minerale	acoua minéralé
– gazeuse	– gasata	– gasata
– plate	– liscia	– licha
Épices	le spezie	spétsié
Huile	l'olio	olio
Jus de fruits	il succo di frutta	soucco di froutta
Lait	il latte	latté
– en boîte	– in scatola	– inn scatola
– en poudre	– in polvere	– inn polvéré
Limonade	la gazzosa	gadzosa
Miel	il miele	miélé
Moutarde	la senape	sénapé
Pâtes	la pasta	pasta
Poivre	il pepe	pépé
Potage	la minestra	minéstra
Riz	il riso	riso
Sac	la borsa	borsa
Sachet	il sacchetto	sakkétto
Sel	il sale	salé
Sucre en morceaux	le zollette di zucchero	dzollétté di dzoukéro
– poudre	– lo zucchero	– dzoukéro
Thé	il tè	té
Vin blanc	il vino bianco	vino biannco
– rosé	– rosato	– rosato
– rouge	– rosso	– rosso
Vinaigre	l'aceto	atchéto

fleuriste

FLEURISTE
fiorista (fiorista)

Où puis-je trouver un fleuriste ?
Dove posso trovare un fiorista ?
dovè posso trovarè oun fiorista ?

Faites-moi un bouquet de fleurs de saison.
Mi faccia un mazzo di fiori di stagione.
mi fatcha oun madzo di fiori di stadjonè.

Pouvez-vous les envoyer à l'adresse suivante ?
Può mandarli a questo indirizzo ?
pouo manndarli a couèsto inndiritso ?

Avez-vous des fleurs meilleur marché ?
Ha dei fiori meno cari ?
a dèï fiori mèno cari ?

Raccourcissez les tiges, s'il vous plaît.
Accorci i gambi, per favore.
accortchi i gammbi, pèr favorè.

VOCABULAIRE

Bouquet	il mazzo	madzo
Corbeille de fleurs	il cesto di fiori	tchèsto di fiori
Demi-douzaine	la mezza dozzina	mèdza dodzina
Douzaine	la dozzina	dodzina
Feuillage	il fogliame	folyamè
Feuille	la foglia	folya
Fleur	il fiore	fiorè
Gerbe	il fascio	facho
Mélange de fleurs	i fiori misti	fiori misti
Plante verte	la pianta verde	piannta vèrdè
Quelques fleurs	qualche fiore	coualkè fiorè
Tige	il gambo	gammbo
Vase	il vaso	vaso

FRUITS ET LÉGUMES
frutta e verdura (**frou**tta è **vèr**do**ou**ra)

Je **voudrais** 100 grammes... 1/2 kilo... 1 kilo... de...
Vorrei cento grammi... mezzo chilo... un chilo... di...
*vorrèï tch**è**nnto grammi... mèdzo kilo...*
oun kilo... di...

VOCABULAIRE

Abricots	le albicocche	albicokkè
Ail	l'aglio	alyo
Artichauts	i carciofi	cartchofi
Asperges	gli asparagi	asparadji
Aubergines	le melanzane	mèlanntsanè
Banane	la banana	banana
Basilic	il basilico	basilico
Betterave	la barbabietola	barbabiètola
Botte de...	il mazzo di...	madzo di...
Broccoli	i broccoli	broccoli
Carottes	le carote	carotè
Cerise	la ciliegia	tchilièdja
Champignons	i fungi	founngui
Chicorée	la cicoria	tchicoria
Chou	il cavolo	cavolo
– fleur	il cavolfiore	cavolfiorè
– de Bruxelles	il cavoletto di Bruxelles	cavolètto di brouxèl
Citron	il limone	limonè
Concombre	il cetriolo	tchètriolo
Courgettes	le zucchine	dzoukinè
Endives	l'indivia	inndivia
Épinards	gli spinaci	spinatchi
Figues	i fichi	fiki
Fines herbes	le erbe aromatiche	èrbè aromatikè
Frais	fresco	frèsco
Fraises	le fragole	fragolè
Framboises	i lamponi	lammponi
Groseilles	il ribes	ribès
Haricots en grains	i fagioli	fadjoli
– verts	i fagiolini	fadjolini
Laitue	la lattuga	lattouga
Lentilles	le lenticchie	lènntikkiè
Mandarines	i mandarini	manndarini
Melon	il melone	mèlonè

fruits et légumes

Mirabelles	le susine	sousiné
Mûr	maturo	matouro
Mûres	le more	moré
Myrtilles	i mirtilli	mirtilli
Navets	le rape	rapé
Noix	le noci	notchi
Oignons	le cipolle	tchipollé
Oranges	le arance	aranntché
Pamplemousse	i pompelmi	pommpélmi
Pêche	la pesca	pésca
Persil	il prezzemolo	prédzémolo
Petits pois	i piselli	pisélli
Poireaux	i porri	porri
Pois chiches	i ceci	tchétchi
Poivrons	i peperoni	pépéroni
Pommes	le mele	mélé
Pommes de terre	le patate	pataté
Prunes	le prugne	prounyé
Radis	i ravanelli	ravanélli
Raisins	l'uva	ouva
Salade	l'insalata	innsalata
Tomates	i pomodori	pomodori

HABILLEMENT
abbigliamento (abbilyaménnto)

Où peut-on trouver un magasin de prêt-à-porter ?
Dove posso trovare un negozio di abbigliamento ?
dové posso trovaré oun négotsio di abbilyaménnto ?

Je voudrais un **costume** coupé suivant ce modèle...
dans ce tissu.
Vorrei un abito dello stesso modello...
in questo tessuto.
vorrèï oun abito déllo stésso modéllo...
inn couésto téssouto.

Donnez de l'aisance aux **emmanchures**.
Vorrei il giro delle maniche un pò più largo.
vorrèï il djiro déllé maniké oun po piou largo.

Puis-je **essayer... échanger** ?
Posso provare... cambiare ?
posso provaré... cammbiaré ?

Cette chemise est **étroite**.
Questa camicia è stretta.
couésta camitcha é strétta.

Prenez mes **mesures,** s'il vous plaît.
Prenda le mie misure, per favore.
prénnda lé mié misouré, pér favoré.

Quel type de **nettoyage** conseillez-vous ?
Che tipo di lavaggio mi consiglia ?
ké tipo di lavadjo mi connsilya ?

Plus grand... **plus** petit...
Più grande... più piccolo...
piou granndé... piou piccolo...

Il faudrait **raccourcir** les manches.
Bisognerebbe accorciare le maniche.
bisonyérébbé accortcharé lé maniké.

Ce pantalon ne **tombe** pas bien.
Questi pantaloni non cascano bene.
couésti panntaloni nonn cascano béné.

habillement

VOCABULAIRE

Anorak	la giacca a vento	djacca a vènnto
Bas	le calze	caldzè
Beige	crema	crèma
Bermuda	le bermuda	bermouda
Blanc	bianco	biannco
Bleu ciel	celeste	tchélèstè
– marine	blu marino	blou marino
Blouson	il giaccone	djacconè
Bonnet	il berretto	bérrètto
Bouton	il bottone	bottonè
Bretelles	le bretelle	brètèllè
Caleçon	i calzoncini	caldzontchini
Casquette	il berretto a visiera	bérrètto a visièra
Ceinture	la cintura	la tchinntoura
Centimètres	i centimetri	tchénntimètri
Chapeau	il cappello	cappèllo
Chaussettes	i calzetti	i caldzètti
Chemise	la camicia	camitcha
Chemisier	la blusa	blousa
Clair	chiaro	kiaro
Col	il collo	collo
Collant	il collant	collannt
Complet	il completo	commplèto
Coton	il cotone	cotonè
Couleur	il colore	colorè
Couper	tagliare	talyarè
Court	corto	corto
Cravate	la cravatta	cravatta
Cuir	il cuoio	couoïo
– (manteau de)	il soprabito di pelle	soprabito di pèllè
Culotte	le mutande	moutanndè
Doublure	la fodera	fodèra
Écharpe	la sciarpa	charpa
Emmanchures	il giro-manica	djiro manica
Épingle	lo spillo	spillo
– de sûreté	la spilla da balia	spilla da balia
Essayer	provare	provarè
Étroit	stretto	strètto
Fabrication locale	fabbricazione locale	fabbricatsionè localè
Facile à entretenir	di facile manutenzione	di fatchilè manou-tènntsionè
Fait à la main	fatto a mano	fatto a mano
Fermeture à glissière	la cerniera lampo	tchèrnièra lammpo
Feutre	il feltro	féltro

habillement

Fil	il filo	filo
– à coudre	– per cucire	pèr coutchirè
Foncé	scuro	scouro
Foulard	il foulard	foulard
Gant	il guanto	gouannto
Garanti	garantito	garanntito
Grand	grande	granndè
Grand teint	colori resistenti	colori rèsistènnti
Gris	grigio	gridjo
Habit	l'abito	abito
Imperméable	l'impermeabile	immpèrmèabilè
Jaune	giallo	djallo
Jupe	la gonna	gonna
Laine	la lana	lana
Lavable en machine	lavabile in lavatrice	lavabilè inn lavatritchè
Lavage à la main	lavaggio a mano	lavadjo a mano
Léger	leggero	lèdjèro
Lingerie	la biancheria	biannkèria
Long	lungo	lounngo
Lourd	pesante	pèsanntè
Maillot de bain	il costume da bagno	costoumè da banyo
– de corps	la maglietta	malyètta
Manche	la manica	manica
Manteau	il cappotto	cappotto
Marron	marrone	marronè
Mode (à la)	moda (alla)	moda
Mouchoir	il fazzoletto	fadzolètto
Nettoyer	pulire	poulirè
Noir	nero	nèro
Pantalon	i pantaloni	panntaloni
Parapluie	l'ombrello	ommbrèllo
Poche	la tasca	tasca
Prêt-à-porter	prêt-à-porter	prêt-a-portè
Pull-over	il pullover	poullovèr
Qualité	la qualità	coualita
Rayé	a righe	a riguè
Repassage	stirare	stirarè
Rétrécir	restringere	rèstrinndjèrè
Robe	il vestito	vèstito
Rose	rosa	rosa
Rouge	rosso	rosso
Short	i pantaloncini corti	panntalonntchini corti
Slip	gli slip	slip
Soie	la seta	sèta
Sous-vêtements	gli indumenti intimi	ly inndoumènnti inntimi
Soutien-gorge	il reggiseno	rèdjisèno
Survêtement	la tuta	touta

habillement

Taille	la taglia	talya
Tailleur	il sarto	sarto
Teinte	la tinta	tinnta
Tissu à carreaux	il tessuto a quadri	tèssouto a couadri
– imprimé	– stampato	– stammpato
– à pois	– a pois	– a poi
– à rayures	– a righe	– a riguè
– uni	– unito	– ounito
Toile	la tela	tèla
Velours	il velluto	vèllouto
Vert	verde	vèrdè
Veste	la giacca	djacca
Vêtements	gli abiti	abiti

OPTICIEN
ottico (ottico)

S'il vous plaît, pouvez-vous m'indiquer un opticien ?
Per favore, può indicarmi un ottico ?
pèr favorè, pouo inndicarmi oun ottico ?

J'ai perdu mes **lentilles de contact**.
Ho perso le lenti a contatto.
o pèrso le lènnti a conntatto.

J'ai cassé mes **lunettes**. Pouvez-vous les remplacer
avec ou sans ordonnance ?
Ho rotto gli occhiali. Può sostituirli con o senza
prescrizione ?
o rotto ly okyiali. Pouo sostituirli conn o sènndza
prèscritsionè ?

Je voudrais des **lunettes de soleil**... anti-reflets.
Vorrei degli occhiali da sole... anti-riflesso.
vorrèï dèly okkiali da solè... annti-riflèsso.

Pouvez-vous **remplacer** les verres ?... les branches ?
Può sostituirmi le lenti ?... le stanghette ?
pouo sostituirmi lè lènnti... lè stannguèttè ?

Quand pourrais-je les **reprendre** ?
Quando potrò riprenderli ?
couanndo potro riprènndèrli ?

Je porte des **verres** teintés.
Le lenti dei miei occhiali sono colorate.
le lènnti dèi mièi okkiali sono coloratè.

VOCABULAIRE

Astigmate	astigmatico	astigmatico
Branche	la stanghetta	stannguètta
Étui	l'astuccio	astoutcho
Hypermétrope	ipermetrope	ipermètropè
Jumelles	il cannocchiale	cannokkialè
Lentille de contact	la lente a contatto	lènntè a conntatto
Liquide pour lentilles de contact	liquido per lenti a contatto	licouido pèr lènnti a conntatto

opticien

Longue-vue	il binocolo	binocolo
Loupe	la lente	lénnté d'inngranndi
	d'ingrandimento	ménnto
Lunettes	gli occhiali	okkiali
– de soleil	– da sole	– da solé
Myope	miope	miopé
Presbyte	presbite	présbité
Verre	la lente	lénnté
– teinté	– colorata	– colorata
Vis	la vite	vité

PAPETERIE / LIBRAIRIE
cartoleria (cartolèria) / libreria (librèria)

Où puis-je trouver une papeterie... une librairie ?
Dove posso trovare una cartoleria... una libreria ?
dovè posso trovarè ouna cartolèria... ouna librèria ?

Existe-t-il une histoire de la région en français ?
Esiste una storia della regione in francese ?
èsistè ouna storia dèlla rèdjonè inn franntchèsè ?

Recevez-vous les journaux français ?
Ricevete i giornali francesi ?
ritchèvètè i djornali franntchèsi ?

Faites-vous des photocopies ?
Fate delle fotocopie ?
fatè dèllè fotocopiè ?

Pouvez-vous me procurer la traduction française de cet ouvrage ?
Può procurarmi la traduzione francese di questo libro ?
pouo procourarmi la tradoutsionè franntchèsè di couèsto libro ?

VOCABULAIRE

Agenda	l'agenda	adjènnda
Agrafe	la graffetta	graffètta
Agrafeuse	l'aggraffatrice	aggraffatritchè
Bloc-notes	il bloc notes	blok notè
Boîte de peinture	la scatola di colori	scatola di colori
Bouteille d'encre	la bottiglia d'inchiostro	bottilya d'innkiostro
Brochure	il fascicolo	fachicolo
Cahier	il quaderno	couadèrno
Calculatrice	la calcolatrice	calcolatritchè
Calendrier	il calendario	calènndario
Carnet	il taccuino	taccouino
– d'adresses	la rubrica	roubrica
Carte géographique	la carta geografica	carta djèografica
– routière	– stradale	– stradalè
– touristique	– turistica	– touristica
Cartes à jouer	le carte da gioco	cartè da djoco
– postales	le cartoline	cartolinè

papeterie, librairie

– de vœux	– d'augurio	– d'aougourio
Cartouche (stylo)	le cartucce di ricambio	cartoutchè di ricammbio
Ciseaux	le forbici	forbitchi
Colle	la colla	colla
Crayon noir	la matita nera	matita nèra
Crayons de couleurs	le matite colorate	matitè coloratè
Dictionnaire de poche	il dizionario tascabile	ditsionario tascabilè
Édition	l'edizione	èditsionè
Élastiques	gli elastici	èlastitchi
Encre	l'inchiostro	innkiostro
Enveloppe	la busta	bousta
Étiquettes	le etichette	ètiquèttè
– adhésives	– adesive	– adèsivè
Exemplaire	l'esemplare	èsèmmplarè
Feuille	il foglio	folyo
Ficelle	lo spago	spago
Format	il formato	formato
Grammaire	la grammatica	grammatica
Guide touristique	la guida turistica	gouida touristica
– en français	– in francese	– inn franntchèsè
Hebdomadaire	il settimanale	sèttimanalè
Journal	il giornale	djornalè
– français	– francese	– franntchèsè
– local	– locale	– localè
Livre d'art	il libro d'arte	libro d'artè
– de poche	– tascabile	– tascabilè
– pour enfants	– per bambini	– pèr bammbini
Magazine	la rivista illustrata	rivista illoustrata
Manuel de conversa-tion	il manuale di conversa-zione	manoualè di connvèr-satsionè
Papier	la carta	carta
– cadeau	– da regalo	– da règalo
– collant	– auotoadesiva	– aoutoadèsiva
– d'emballage	– per imballare	– pèr immballarè
– à lettres	– da lettere	– da lèttèrè
Pile	la pila	pila
Pinceau	il pennello	pènnèllo
Plan de la ville	la pianta della città	piannta dèlla tchitta
Plume	la penna	pènna
Recharge	il ricambio	ricammbio
Règle	la squadra	scouadra
Revue	la rivista	rivista
Roman	il romanzo	romandzo
Stylo-bille	la penna biro	pènna biro
Stylo-feutre	il pennarello	pènnarèllo
Stylo-plume	la penna stilografica	pènna stilografica
Taille-crayon	il temperino	tèmmpèrino

PARFUMERIE / HYGIÈNE
profumeria (profouméria) / *igiene* (idjiènè)

S'il vous plaît, y a-t-il une parfumerie dans le quartier ?
Per favore, c'è una profumeria nel quartiere ?
pèr favorè, tchè ouna profouméria nèl couartièrè ?

Je cherche une **brosse** plus souple.
Cerco una spazzola più morbida.
tchèrco ouna spadzola piou morbida.

Puis-je **essayer** ce vernis à ongles ?
Posso provare questo smalto ?
posso provarè couèsto smalto ?

J'aimerais un parfum plus **léger**... plus poivré.
Vorrei un profumo più leggero... più pepato.
vorrèï oun profoumo piou lèdjèro... piou pèpato.

Pourrais-je **sentir** ce parfum ?
Potrei annusare questo profumo ?
potrèï annousarè couèsto profoumo ?

VOCABULAIRE

Blaireau	il pennello da barba	pènnèllo da barba
Brosse à cheveux	la spazzola per capelli	spadzola pèr capèlli
– à dents	lo spazzolino da denti	spadzolino da dènnti
– à ongles	– da unghie	– da ounnguiè
Cheveux	i capelli	capèlli
– gras	– grassi	– grassi
– secs	– secchi	– sèkki
– avec pellicules	– con la forfora	– conn la forfora
Coton hydrophile	il cotone idrofilo	cotonè idrofilo
– -tiges	i bastoncini per	bastonntchini pèr ly
	gli orecchi	orèkki
Crayon pour les yeux	matite per gli occhi	matitè pèr ly okki
Crème hydratante	la crema idratante	crèma idratanntè
– de jour	– da giorno	– da djorno
– de nuit	– da notte	– da nottè
– pour les mains	– per le mani	– pèr lè mani
– à raser	– per radersi	– pèr radèrsi
– solaire	– solare	– solarè
Démaquiller	struccarsi	strouccarsi
Dentifrice	il dentifricio	dènntifritcho
Déodorant	il deodorante	dèodoranntè

parfumerie, hygiène

Dissolvant	il solvente	solvènnté
Eau de Cologne	l'acqua di Colonia	acoua di colonia
Épingle à cheveux	la forcina da capelli	fortchina da capélli
– de sûreté	la spilla da balia	spilla da balia
Éponge	la spugna	spounya
Fard	il fard	fard
Flacon	il flacone	flaconè
Foncé	scuro	scouro
Fond de teint	il fondo tinta	fonndo tinnta
Gel	il gel	djèl
Huile solaire	l'olio solare	olio solarè
Incolore	incolore	inncolorè
Lait démaquillant	il latte per struccarsi	latté pèr strouccarsi
Lames de rasoir	le lamette da barba	lamètté da barba
Laque	la lacca	lacca
Lime à ongles	limetta da unghie	limètta da ounnguiè
Lotion	la lozione	lotsionè
Lourd	pesante	pèsannté
Maquiller	truccarsi	trouccarsi
Masque	la maschera	maskèra
Mouchoirs en papier	i fazzoletti di carta	fadzolétti di carta
Mousse à raser	la crema da barba	crèma da barba
Papier hygiénique	la carta igienica	carta idjènica
Parfum	il profumo	profoumo
Peau	la pelle	pèllè
– grasse	– grassa	– grassa
– sèche	– secca	– sècca
Peigne	il pettine	pèttinè
Pierre ponce	la pietra pomice	piètra pomitchè
Pinceau	il pennello	pènnèllo
Pinces à épiler	la pinzetta per depilare	pinntsètta pèr dèpilarè
Pommade pour les lèvres	il burro cacao	bourro cacao
Poudre	la cipria	tchipria
Poudrier	la scatola di cipria	scatola di tchipria
Rasoir	il rasoio	rasoïo
Rouge à lèvres	il rossetto	rossètto
Savon	il sapone	saponè
Sec	asciutto *ou* secco	achoutto *ou* sècco
Serviette hygiénique	l'assorbente	assorbènnté
Shampooing	lo shampo	chammpo
Talc	il borotalco	borotalco
Tampon	l'assorbente interno	assorbènnté inntèrno
Teinte	la tinta	tinnta
Trousse de toilette	il beauty-case	biouti kèsè
Tube	il tubo	toubo
Vaporisation	la vaporizzazione	vaporidzatsionè
Vernis à ongles	lo smalto	smalto

PHOTOGRAPHIE
fotografia (fotografia)

S'il vous plaît, pouvez-vous m'indiquer un magasin de photo ?
> *Per favore, può indicarmi un negozio di fotografia ?*
> *pèr favorè, pouo inndicarmi oun nègozio di foto-grafia ?*

Pouvez-vous me donner le certificat d'origine ?
> *Può darmi il certificato d'origine ?*
> *pouo darmi il tchèrtificato d'oridjinè ?*

En combien de temps pouvez-vous me développer ce film ?
> *In quanto tempo può svilupparmi questo film ?*
> *inn couannto tèmmpo pouo siloupparmi couèsto film ?*

Quels sont les droits de douane ?
> *Quali sono i diritti di dogana ?*
> *couali sono i diritti di dogana ?*

J'ai des ennuis avec...
> *Ho delle noie con...*
> *o dèllè noïè conn...*

La cellule ne fonctionne pas.
> *La fotocellula non funziona.*
> *la fototchèlloula nonn founndziona.*

L'appareil est tombé.
> *La macchina fotografica mi è caduta.*
> *la makkina fotografica mi è cadouta.*

VOCABULAIRE

Agrandissement	l'ingrandimento	inngranndimènnto
Ampoule-flash	il flas	flach
Appareil	macchina fotografica	makkina fotografica
Bague de réglage	l'anello regolatore	anèllo règolatorè
Bobine	la bobina	bobina
Boîtier	la cassa	cassa
Brillant	brillante	brillanntè

photographie

Capuchon	il cappuccio	cappoutcho
Cartouche	la cartuccia	cartoutcha
Cellule	la cellula	tchèlloula
Clair	chiaro	kiaro
Compteur	il contatore	conntatorè
Contrasté	contrastato	conntrastato
Déclencheur	lo scatto	scatto
Développement	lo sviluppo	svilouppo
Diaphragme	il diaframma	diaframma
Diapositive	la diapositiva	diapositiva
Dos de l'appareil	il dietro della macchina	diètro dèlla makkina
Épreuve	il fotogramma	fotogramma
Film noir et blanc	la pellicola bianco e nero	pèllicola biannco è nèro
– couleur pour papier	– colore su carta	– colorè sou carta
– couleur pour diapositives	– colore per diapositive	– colorè pèr diapositivè
Filtre jaune	il filtro giallo	filtro djallo
– orange	– arancio	– aranntcho
– rouge	– rosso	– rosso
Format	il formato	formato
Glacé	patinato	patinato
Grain fin	a grana fina	grana fina
Identité (photo d')	identità (foto d')	idènntita
Lumière artificielle	la luce artificiale	loutchè artifitchalè
– du jour	– del giorno	– dèl djorno
Marges (avec)	con i margini	conn i mardjini
– (sans)	senza i margini	sènntza i mardjini
Mat	opaco	opaco
Négatif	il negativo	nègativo
Objectif	l'obiettivo	obièttivo
Obturateur	l'otturatore	ottouratorè
Papier	la carta	carta
Pied	il treppiede	trèppièdè
Pile	la pila	pila
Poses (20)	venti pose	vènti posè
Poses (36)	trentasei pose	trènntasèï posè
Rapide	rapido	rapido
Rebobineur	il rimbobinatore	rimmbobinatorè
Recharger	ricaricare	ricaricarè
Réparation	la riparazione	riparatsionè
Sensible	sensibile	sènnsibilè
Sombre	oscuro	oscouro
Télémètre	il telemetro	tèlèmètro
Tirage	la stampa	stammpa
Viseur	il mirino	mirino

POISSONNERIE
pescheria (péskèria)

poissonnerie

VOCABULAIRE

Anchois	le acciughe	atchougué
Anguille	l'anguilla	anngouilla
Bar	il branzino	branndzino
Brochet	il luccio	loutcho
Cabillaud	il merluzzo	mèrloudzo
Calmars	i calamari	calamari
Carpe	la carpa	carpa
Carrelet	il passerino	passèrino
Colin	il nasello	nasèllo
Congre	il grongo	gronngo
Coquillages	i frutti di mare	froutti di marè
Coquilles Saint-Jacques	conchiglia di San Giacomo	connkilya di sann djacomo
Crabes	i granchi	grannki
Crevettes	i gamberetti	gammbèrétti
Crustacés	i crostacei	crostatchéï
Daurade	l'orata	orata
Écrevisses	i gamberi	gammbèri
Filet	il filetto	filètto
Hareng	l'aringa	arinnga
Homard	il gambero di mare	gammbèro di marè
Huîtres	le ostriche	ostrikè
Langouste	l'aragosta	aragosta
Langoustines	gli scampi	scammpi
Maquereau	lo sgombro	sgommbro
Merlan	il nasello	nasèllo
Morue	merluzzo	mèrloudzo
Moules	le cozze	codzè
Perche	il pesce persico	pèchè pèrsico
Poisson	pesce	pèchè
Sardines	le sardine	sardinè
Saumon	il salmone	salmonè
Sole	la sogliola	solyola
Thon	il tonno	tonno
Tranche de...	la fetta di...	fètta di...
Truite	la trota	trota
Turbot	il rombo	rommbo

POSTE / TÉLÉPHONE
posta (posta) / *telefono* (telefono)

Où est le bureau de poste... la boîte aux lettres ?
Dov'è l'ufficio postale... la cassetta delle lettere ?
dov'è l'ouffitcho postalè... la cassètta dèllè lèttèrè ?

Quand arrivera cette lettre ?
Quando arriverà questa lettera ?
couanndo arrivèra couèsta lèttèra ?

La communication a été coupée.
La comunicazione è stata interrotta.
la comounicatsionè è stata inntèrrotta.

Avez-vous du courrier pour moi ?
Ha posta per me ?
a posta pèr mè ?

Combien cela coûte-t-il ?
Quanto costa ?
couannto costa ?

Je voudrais envoyer un télégramme... un fax.
Vorrei mandare un telegramma... un fax.
vorrèï manndarè oun tèlègramma... oun fax.

Dois-je remplir un formulaire ?
Devo riempire una scheda ?
dèvo rièmmpirè ouna skèda ?

Où est le guichet ?
Dov'è lo sportello ?
dov'è lo sportèllo ?

Quelles sont les heures d'ouverture de la poste ?
Quali sono le ore di apertura dell'ufficio postale ?
couali sono lè orè d'apèrtoura dèll'ouffitcho postalè ?

À quel guichet puis-je toucher un mandat ?
A quale sportello posso incassare un vaglia ?
a coualè sportèllo posso incassarè oun valya ?

Pouvez-vous me faire de la **monnaie** ?
Ha da cambiare, per favore ?
a da cammhiarè, pèr favorè ?

Je désire envoyer un **paquet** par avion...
en express... en recommandé.
Desidero inviare un pacchetto via aerea...
in espresso... in raccomandata.
dèsidèro innviarè oun pakkètto via aèrèa...
inn èsprèsso... inn raccomanndata.

Allô ! je voudrais **parler** à...
Pronto ! vorrei parlare con...
pronnto ! vorrèï parlarè conn...

La lettre **partira**-t-elle aujourd'hui ?
La lettera partirà oggi ?
la lèttèra partira odji ?

Quel est le **tarif** par mot ?
Quanto costa a parola ?
couannto costa a parola ?

Où est le **téléphone** ?
Dov'è il telefono ?
dov'è il tèlèfono ?

À quel guichet vend-on des **timbres**... des timbres de collection ?
A che sportello vendono dei francobolli... dei franco-
bolli da collezione.
a kè sportèllo vènndono dèi franncobolli... dèi frann-
cobolli da collètsionè ?

VOCABULAIRE

Abonné	l'abbonato	abbonato
Adresse	indirizzo	inndiritso
Allô !	pronto	pronnto
Annuaire	l'elenco	èlènnco
Appareil	l'apparecchio	apparèkkio
Attendre	aspettare	aspèttarè
Boîte aux lettres	la cassetta delle lettere	cassètta dèllè lèttèrè
Carte postale	la cartolina	cartolina
Colis	il pacco	pacco
Communication	la comunicazione	comounicadzionè

poste, téléphone

Coupez pas (ne)	non interrompa	inntèrrommpa
Courrier	la posta	posta
Demander	domandare	dommandarè
Entendre	sentire	sénntirè
N'entends rien (je)	non sento niente	non sénnto niènntè
Expédier	spedire	spédirè
Expéditeur	il mittente	mittènntè
Express	l'espresso	esprèsso
Facteur	il postino	postino
Faux numéro	il numero sbagliato	noumèro sbalyato
Formulaire	il formulario	formoulario
Guichet	lo sportello	sportèllo
INFORMATIONS	INFORMAZIONI	innformatsioni
Jeton	il gettone	djèttonè
Lettre	la lettera	léttèra
Levée	la levata	lèvata
Ligne	la linea	linèa
Mandat	il vaglia	valya
Message	il messaggio	méssadjo
Monnaie	moneta	monèta
Numéro	il numero	noumèro
Occupé	occupato	occoupato
Paquet	pacchetto	pakkètto
Par avion	via aerea	via aérèa
P.C.V.	la rovesciata	rovèchata
Pièce (monnaie)	la moneta	monèta
Poste restante	il fermo posta	fèrmo posta
Rappeler	richiamare	rikiamarè
Recommandés	le raccomandate	raccomanndatè
Tarif	la tariffa	tariffa
Taxe	la tassa	tassa
Télégrammes	il telegramma	télègramma
Téléphone	il telefono	téléfono
– public	– pubblico	– poubblico
Timbres	i francobolli	franncobolli
– de collection	– da collezione	– da collètsionè
Unité	unità	ounita
Urgent	urgente	ourdjènntè
Urgent (très)	molto urgente	molto ourdjènntè
Valeur déclarée	valore dichiarato	valorè dikiarato

SOUVENIRS
souvenirs (souvènir)

Où y-a-t-il une **boutique d'artisanat** ?
Dove posso trovare un negozio di artigianato ?
dovè posso trovarè oun nègotsio di artidjanato ?

Cet objet est-il **fait main** ?
Questo oggetto è fatto a mano ?
couèsto odjètto è fatto a mano ?

Quels sont les **objets typiques** de votre région ?
Quali sono gli oggetti tipici della vostra regione ?
couali sono ly odjètti tipitchi dèlla vostra rèdjonè ?

Peut-on **visiter l'atelier** ?
Si può visitare il laboratorio ?
si pouo visitarè il laboratorio ?

VOCABULAIRE

Argent	l'argento	ardjènnto
Artisanat	l'artigianato	artidjanato
Atelier d'artiste	lo studio d'artista	stoudio d'artista
Bijoux	i gioielli	djoïèlli
Bois	il legno	lènyo
Broderie	il ricamo	ricamo
Cadeaux	i regali	règali
Carte postale	la cartolina	cartolina
Cendrier	il portacenere	portatchènèrè
Coton	il cotone	cotonè
Cuir (objets en)	cuoio (oggetti di)	couoïo (odjètti di)
Dessin	il disegno	disènyo
Écusson	lo scudo	scoudo
Exposition	la mostra	mostra
Laine	la lana	lana
Miniatures (monuments)	miniatura (monumenti)	miniatoura (monumènnti)
Objets typiques	gli oggetti tipici	odjètti tipitchi
Osier	il vimine	viminè
Peinture (tableau)	la pittura (quadro)	pittoura (couadro)
Poterie	il vasellame	vassèllamè
Poupée	la bambola	bammbola
Sculpture sur bois	la scultura in legno	scoultoura inn lènyo
Tapis	il tappeto	tappèto
Tissage	la tessitura	tèssitoura
Verre soufflé	il vetro soffiato	vètro soffiato

tabac

TABAC
tabacchi (tabakki)

Où puis-je trouver un bureau de tabac ?
Dove posso trovare un tabaccaio ?
dovè posso trovarè oun tabaccaïo ?

Je voudrais une **cartouche**... un paquet de **cigarettes**...
américaines... anglaises... françaises.
Vorrei una stecca di... un pacchetto di sigarette...
americane... inglesi... francesi.
vorrèï ouna stècca di... oun pakkètto di sigarèttè...
amèricanè... innglèsi... franntchèsi.

Pouvez-vous changer la pierre de mon briquet...
recharger mon briquet ?
Può cambiare la pietrina dell'accendino... ricaricare
il mio accendino ?
pouo cammbiarè la piètrina dèll'atchènndino...
ricaricarè il mio atchènndino ?

VOCABULAIRE

Allumettes	i fiammiferi	fiammiferi
Briquet	l'accendino	atchènndino
Bureau de tabac	il negozio di tabacchi	nègotsio di tabakki
Cartouche	la stecca	stècca
Cendrier	il portacenere	portatchènèrè
Cigares	i sigari	sigari
Cigarettes blondes	le sigarette bionde	sigarèttè bionndè
– brunes	– brune	– brounè
Cure-pipe	lo scovolino	scovolino
Essence	la benzina	bènndzina
Étui	l'astuccio	astoutcho
Filtre (avec)	con filtro	conn filtro
– (sans)	senza filtro	sènntsa filtro
Fume-cigarette	il bocchino	bokkino
Mèche	la miccia	mitcha
Papier à cigarette	le cartine per le sigarette	cartinè pèr lè sigarèttè
Paquet	il pacchetto	pakkètto
Pierre à briquet	la pietrina dell'accendino	piètrina dèll'atchènndino
Pipe	la pipa	pipa
Tabac	il tabacco	tabacco

CULTURE / LOISIRS

CULTES
culti (*coul*ti)

Pouvez-vous me dire où se trouve l'**église** la plus proche... la cathédrale ?
> *Può dirmi dov'è la chiesa più vicina... la cattedrale ?*
> *pouo dirmi dov'é la kièsa piou vitchina... la cattèdralè ?*

Célèbre-t-on encore des messes dans cette **église** ?
> *Si celebrano ancora messe in questa chiesa ?*
> *si tchèlèbrano anncora mèssè inn couèsta kièsa ?*

J'aimerais connaître l'**horaire** des offices.
> *Vorrei sapere l'orario delle messe.*
> *vorrèï sapèrè l'orario dèlle mèssè.*

À quelle heure l'église est-elle **ouverte** au public ?
> *A che ora la chiesa è aperta al pubblico ?*
> *a kè ora la kièsa è apèrta al poubblico ?*

Je cherche un **pasteur**... un **prêtre**... un **rabbin**... parlant français.
> *Cerco un pastore... un prete... un rabbino... che parli francese.*
> *tchèrco oun pastorè... oun prètè... oun rabbino... ke parli franntchèsè.*

VOCABULAIRE

Cathédrale	la cattedrale	cattèdralè
Catholique	cattolico	cattolico
Chapelle	la cappella	cappèlla
Chrétien	cristiano	cristiano
Communion	la comunione	comounionè
Confession	la confessione	connfèssionè
Dieu	dio	dio
Divin	divino	divino
Église	la chiesa	kièsa
Juif	ebreo	èbrèo
Libre penseur	il libero pensatore	libèro pènnsatorè
Messe	la messa	mèssa
Mosquée	la moschea	moskèa
Musulman	musulmano	moussoulmano

Office	l'officio	offitcho
Orthodoxe	l'ortodosso	ortodosso
Païen	pagano	pagano
Pasteur	il pastore	pastorè
Presbytère	il presbiterio	présbiterlo
Prêtre	il prete	prètè
Prière	la preghiera	prèguièra
Prophète	il profeta	profèta
Protestant	protestante	protèstanntè
Quête	l'elemosina	èlèmosina
Rabbin	il rabbino	rabbino
Religion	la religione	rèlidjonè
Saint	il santo	sannto
Sermon	il sermoné	sèrmonè
Synagogue	la sinagoga	sinagoga
Temple	il tempio	tèmmpio

cultes

DISTRACTIONS / SPECTACLES
distrazioni (distratsi**o**ni)
spettacoli (sp**è**ttacoli)

À quelle heure **commence** le concert... le film... la pièce ?
A che ora comincia il concerto... il film... la piece teatrale ?
*a kè **o**ra com**i**nntcha il conntch**è**rto... il film... la pi**è**cè tèatralè ?*

Combien **coûtent** les places ?
Quanto costano i posti ?
*cou**a**nnto costano i posti ?*

Peut-on **danser** toute la nuit dans cette boîte ?
Si può ballare tutta la notte in questo locale ?
*si pou**o** ballarè toutta la nott**è** inn cou**è**sto localè ?*

Que **donne**-t-on, ce soir, au cinéma... au théâtre ?
Cosa danno stasera al cinema... al teatro ?
*cosa danno stas**è**ra al tchin**è**ma... al t**è**atro ?*

Quel est le **groupe**... la troupe qui joue ce soir ?
Qual'è il gruppo... la troupe che recita stasera ?
*cou**a**lè il gr**o**uppo... la troupè kè r**è**tchita stas**è**ra ?*

À quelle heure **ouvrent** les boîtes de nuit... cabarets... discothèques ?
A che ora aprono i locali notturni... i cabaret... le discoteche ?
*a kè **o**ra aprono i locali nott**o**urni... i cabar**è**... le discot**è**kè ?*

Nous avons besoin d'un **partenaire** pour jouer.
Abbiamo bisogno di un partner per recitare.
*abbiamo bis**o**nyo di oun partn**è**r p**è**r r**è**tchitarè.*

Est-ce un spectacle **permanent** ?
È uno spettacolo permanente ?
*è ouno sp**è**ttacolo p**è**rman**è**nntè ?*

Je voudrais une **place**... deux places.
 Vorrei un posto... due posti.
 vorrèï oun posto... douè posti.

Avez-vous les **programmes** des spectacles ?
 Ha i programmi degli spettacoli ?
 a i programmi dèly spèttacoli ?

Où peut-on **réserver** des places ?
 Dove si possono prenotare i posti ?
 dovè si possono prènotare i posti ?

Pouvez-vous m'indiquer des **salles de jeux**... le casino ?
 Può indicarmi delle sale da gioco... il casinò ?
 pouo inndicarmi dèllè salè da djoco... il casino ?

Faut-il une **tenue de soirée** ?
 È necessario l'abito da sera ?
 è nètchèssario l'abito da sèra ?

VOCABULAIRE

Acte	l'atto	atto
Acteur	l'attore	attorè
Actrice	l'attrice	attritchè
Amusant	divertente	divèrtènntè
Artiste	l'artista	artista
Auteur	l'autore	aoutorè
Balcon	il balcone	balconè
Ballet	il balletto	ballètto
Billard	il bigliardo	bilyardo
Billet	il biglietto	bilyètto
Boîte de nuit	il locale notturno	localè nottourno
Bridge	il bridge	bridgè
Cabaret	il cabaret	cabarè
Cantatrice	la cantante	canntanntè
Cartes (jeu de)	gioco delle carte	djoco dèllè cartè
Casino	il casinò	casino
Chanteur	il cantante	canntanntè
Chef d'orchestre	il direttore d'orchestra	dirèttorè d'orkèstra
Cinéma en plein air	il cinema all'aria aperta	tchinèma all'aria apèrta
– en salle	il cinema in sala	tchinèma inn sala
Cirque	il circo	tchirco
Comédie	la commedia	commèdia
COMPLET	COMPLETO	commplèto
Compositeur	il compositore	commpositorè
Concert	il concerto	conntchèrto

distractions, spectacles

Français	Italien	Prononciation
Costumes	i costumi	costoumi
Coulisses	le quinte	couinntè
Critique	la critica	critica
Dames (jeu de)	la dama	la dama
Danse	la danza	danndza
Danse classique	la danza classica	danndza classica
– folklorique	la danza folkloristica	danndza folcloristica
Danseur	il ballerino	ballèrino
Décor	lo scenario	chènario
Dés (jeu de)	il gioco di dadi	djoco di dadi
Drame	il dramma	dramma
Échecs (jeu d')	gli scacchi	skakki
Écouter	ascoltare	ascoltarè
Écran	lo schermo	skèrmo
ENTRACTE	INTERVALLO	inntèrvallo
ENTRÉE	ENTRATA	ènntrata
Fauteuil d'orchestre	la poltrona di platea	poltrona di platèa
FERMÉ	CHIUSO	kiouso
File d'attente	la fila, la coda	fila, coda
Gagner	vincere	vinntchèrè
Gradin	il gradino	gradino
Groupe	il gruppo	grouppo
Guichet	lo sportello	sportèllo
Hall	l'entrata	ènntrata
Intéressant	interessante	inntèrèssanntè
Jeton	il gettone	djettonè
Jeux (maison de)	la casa da gioco	casa da djoco
– de hasard	i giochi d'azzardo	djoki d'adzardo
Jouer	giocare	djocarè
Lecture	la lettura	lèttoura
Livret	il libretto	librètto
Loge	la loggia	lodja
Lyrique	lirico	lirico
Marionnette	la marionetta	marionètta
MATINÉE	RECITA DIURNA	rètchita diourna
Metteur en scène	il regista	rèdjista
Musiciens	i musicisti	mousitchisti
Opéra	l'opera	opèra
Opérette	l'operetta	opèrètta
Parterre	la platea	platèa
Partie	la partita	partita
Perdre	perdere	pèrdèrè
Permanent	permanente	pèrmanènntè
Pièce	lo spettacolo	spèttacolo
Pion	la pedina	pèdina
Piste	la pista	pista
Poulailler	il loggione	lodjonè

Programme	il programma	programma
Rang	la fila	fila
Représentation	la rappresentazione	rapprésénntatsioné
Réservation	la prenotazione	prénotatsioné
Réserver	prenotare	prénotaré
Revue	la rivista	rivista
Rideau	il sipario	sipario
Rôle	il ruolo	rouolo
Roulette (jeu)	la roulette	roulétté
Salle	la sala	sala
Scène	la scena	chéna
SOIRÉE	SERATA	sérata
Sous-titres	i sottotitoli	sottotitoli
Succès	il successo	soutchésso
Tragédie	la tragedia	tradjédia
Vedette	la vedette	védétté
Version originale	la versione originale	vèrsioné oridjinalé

distractions, spectacles

NATURE
natura (nat**ou**ra)

VOCABULAIRE

Français	Italien	Prononciation
Abeille	l'ape	apè
Air	l'aria	aria
Altitude	l'altitudine	altit**ou**dinè
À pic	a picco	a picco
Arbre	l'albero	albèro
Automne	l'autunno	aout**ou**nno
Averse	l'acquazzone	acouadzonè
Baie	la baia	baïa
Berger	il pastore	pastorè
Bœuf	il bue	bouè
Bois	il bosco, il legno	bosco, lènyo
Boisé	boscoso	boscoso
Boue	il fango	fanngo
Bouleau	la betulla	bètoulla
Branche	il ramo	ramo
Brouillard	la nebbia	nèbbia
Brume	la bruma	brouma
Caillou	il sasso	sasso
Calcaire	il calcare	calcarè
Campagne	la campagna	cammpanya
Carrefour	l'incrocio	inncrotcho
Cascade	la cascata	cascata
Cerisier	il ciliegio	tchilièdjo
Champignons	i funghi	founngui
Champ	il campo	cammpo
Château	il castello	castèllo
Chêne	la quercia	couèrtcha
Cheval	il cavallo	cavallo
Chien de berger	il cane da pastore	canè da pastorè
CHIEN MÉCHANT	CANE FEROCE	– fèrotchè
Ciel	il cielo	tchèlo
Clair	chiaro	kiaro
Climat	il clima	clima
Colline	la collina	collina
Coq	il gallo	gallo
Côte	la costa	costa
Coucher de soleil	il tramonto	tramonnto
Cueillir	raccogliere	raccolyèrè
DANGER	PERICOLO	pèricolo
Dangereux	pericoloso	pèricoloso

nature

nature

Dégel	il disgelo	disjélo
Désert	il deserto	désèrto
Eau potable	l'acqua potabile	acoua potabilé
– non potable	– non potabile	– nonn potabilé
Éclair	il lampo	lammpo
Environs (les)	i dintorni	dinntorni
Épine	la spina	spina
Est	l'est	èst
Étang	lo stagno	stanyo
Été	l'estate	èstaté
Étoile	la stella	stèlla
Falaise	la scogliera, la falesia	scolyèra, falésia
Ferme	la fattoria	fattoria
Feuille	la foglia	folya
Fleur	il fiore	fioré
Fleurs (en)	in fiore	inn fioré
Foin	il fieno	fièno
Forêt	la foresta	forèsta
Fourmi	la formica	formica
Froid	freddo	frèddo
Gelée	la gelata	djélata
Glace	il ghiaccio	guiatcho
Glissant	scivoloso	chivoloso
Grotte	la grotta	grotta
Guêpe	la vespa	vèspa
Haie	l'aia	aïa
Hauteur	l'altezza	altètsa
Hiver	l'inverno	innvèrno
Horizon	l'orizzonte	oridzonnté
Humide	umido	oumido
Inoffensif	inoffensivo	inoffènnsivo
Insecte	l'insetto	innsètto
Lac	il lago	lago
Lave (volcan)	la lava	lava
Lever du soleil	il sorgere del sole	sordjèré dèl solé
Lumière	la luce	loutché
Marécage	la palude	paloudé
Mer	il mare	maré
Montagneux	montagnoso	monntanyoso
Morsure	il morso	morso
Mouche	la mosca	mosca
Moustique	la zanzara	dzanndzara
Mouton	la pecora	pécora
Neige	la neve	névé
Nord	il nord	nord
Nuage	la nuvola	nouvola
Océan	l'oceano	otchéano

nature

Oiseau	l'uccello	outchéllo
Olivier	l'olivo	olivo
Ombre	l'ombra	ommbra
Orage	il temporale	témmporalé
Oranger	l'arancio	aranntcho
Ortie	l'orticha	ortika
Ouest	l'ovest	ovèst
Palmier	la palma	palma
Paysage	il paesaggio	paésadjo
Pierre	la pietra	piétra
Pin	il pino	pino
Piqûre	la puntura	pounntoura
Plage	la spiaggia	spiadja
Plaine	la pianura	pianoura
Plantes	le piante	pianntè
Plat	piatto	piatto
Pluie	la pioggia	piodja
Pommier	il melo	mélo
Port	il porto	porto
Pré	il prato	prato
Précipice	il precipizio	prétchipitsio
Printemps	la primavera	primavéra
Proche	vicino	vitchino
Promenade	la passeggiata	passèdjata
PROPRIÉTÉ PRIVÉE	PROPRIETÀ PRIVATA	propriéta privata
Rivière	la riviera	riviéra
Rocher	la roccia	rotcha
Ruisseau	il ruscello	rouchéllo
Sable	la sabbia	sabbia
Sapin	il pino	pino
Sec	secco	sécco
Serpent	il serpente	sèrpénnté
Soleil	il sole	solé
Sommet	la sommità	sommita
Source	la sorgente	sordjénnté
Sud	il sud	soud
Température	la temperatura	témmpératoura
Tempête	la tempesta	témmpèsta
Temps	il tempo	témmpo
Tonnerre	il tuono	touono
Torrent	il torrente	torrénnté
Troupeau	il gregge	grèdjé
Vache	la mucca, la vacca	moucca, vacca
Vallée	la vallata	vallata
Vénéneux	velenoso	vélénoso
Versant	il versante	vèrsannté
Volcan	il vulcano	voulcano

SPORTS
sport (sport)

sports

Où peut-on pratiquer l'équitation... le golf...
la natation... le surf... le tennis... la voile ?
Dove si può praticare l'equitazione... il golf...
il nuoto... il surf... il tennis... la vela ?
dovè si pouo praticarè l'ècouitatsionè... il golf...
il nouoto... il sourf... il tennis... la vela ?

Je voudrais **assister à un match** de... où a-t-il lieu ?
Vorrei assistere a una partita di... dove avrà luogo ?
vorrèï assistèrè a ouna partita di... dovè avra
louogo ?

Où faut-il acheter les **billets**... réserver ?
Dove si possono acquistare i biglietti... prenotare ?
dovè si possono acouistarè i bilyètti... prènotarè ?

Quel est le prix de l'**entrée** ?
Qual'è il prezzo d'entrata ?
coual'è il prèdzo d'ènntrata ?

Quelles sont les **équipes** ?
Di che squadre si tratta ?
di kè scouadrè si tratta ?

Quelles sont les **formalités** à remplir pour obtenir
le permis de chasse... de pêche ?
Quali sono le formalità da espletare per ottenere
il permesso di caccia... di pesca ?
couali sono lè formalita da èsplètarè pèr ottènèrè
il pèrmesso di catcha... di pèsca ?

Pouvez-vous m'indiquer les **heures d'ouverture** ?
Può indicarmi le ore d'apertura ?
pouo inndicarmi lè orè d'apèrtoura ?

J'aimerais prendre des **leçons**.
Mi piacerebbe prendere delle lezioni.
mi piatchèrèbbè prènndèrè dèllè lètsioni.

sports

Où peut-on **louer... l'équipement** nécessaire ?
Dove si può noleggiare l'equipaggiamento neces-
    sario ?
dové si pouo noledjaré l'écouipadjaménnto nétchés-
    sario ?

Peut-on **nager sans danger** dans cette rivière... le long
de cette plage ?
Si può nuotare senza pericolo in questo fiume...
    su questa spiaggia ?
si pouo nouotaré sénntsa péricolo inn couésto
    fioumé... sou couésta spiadja ?

Y a-t-il une **patinoire** ?
C'è un'area di pattinaggio ?
tché oun'aréa di pattinadjo ?

Où peut-on **pêcher** ?
Dove si può pescare ?
dové si pouo péscaré ?

Y a-t-il des **pistes** pour toutes les catégories de **skieurs** ?
Ci sono delle piste per tutte le categorie di sciatori ?
tchi sono déllé pisté pér toutté lé catégorié di
    chiatori ?

Quelles sont les **prévisions météorologiques** ?
Quali sono le previsioni meteorologiche ?
couali sono le prévisioni météorolodjiké ?

Quels sont les **prix** à l'heure... à la demi-journée...
à la journée... à la semaine ?
Quali sono i prezzi all'ora... per una mezza
    giornata... per un giorno... alla settimana ?
couali sono i prédzi all'ora... pér ouna médza
    djornata... pér oun djorno... alla séttimana ?

Je voudrais faire une **randonnée** en montagne.
Vorrei fare un'escursione in montagna.
vorréï faré oun'éscoursioné inn montanya.

Comment peut-on **rejoindre les pistes** ?
Come si può andare sulle piste ?
comé si pouo anndaré soullé pisté ?

Le match est-il **retransmis à la télévision** ?
La partita è ritrasmessa alla televisione ?
la partita è ristrasmèssa alla télévisionè ?

sports

VOCABULAIRE

Arbitre	l'arbitro	arbitro
Articles de sport	gli articoli di sport	articoli di sport
Athlétisme	l'atletica leggera	atlètica lédjèra
Balle	la palla	palla
Ballon	il pallone	pallonè
Basket-ball	la pallacanestro	pallacanèstro
Bicyclette	la bicicletta	bitchiclètta
Boxe	la boxe	box
But	il gol	gol
Canne de golf	la canna da golf	canna da golf
Championnat	il campionato	cammpionato
Chronomètre	il cronometro	cronomètro
Corner	il corner	cornèr
Course	la corsa	corsa
Cyclisme	il ciclismo	tchiclismo
Deltaplane	il deltaplano	dèltaplano
Disqualification	la squalifica	scoualifica
Entraînement	l'allenamento	allénamènnto
Équipe	la squadra	scouadra
Escrime	la scherma	skèrma
Essai	la prova	prova
Finale	la finale	finalè
Football	il calcio	caltcho
Gagner	vincere	vinntchèrè
Golf	il golf	golf
Golf miniature	il mini-golf	mini-golf
Haltères	il manubrio	manoubrio
Hippodrome	l'ippodromo	ippodromo
Hockey sur gazon	hockey sull'erba	hockey soull'èrba
– sur glace	– sul ghiaccio	– soul guiatcho
Hors jeu	il fuori gioco	fouori djoco
Jeux Olympiques	le Olimpiadi	olimmpiadi
Jouer	giocare	djocarè
Joueur	il giocatore	djocatorè
Lancer	lanciare	lanntcharè
Lutte	la lotta	lotta
Marathon	la maratona	maratona
Marche	la marcia	martcha
Marquer un but	fare un gol	farè oun gol
Match	la partita	partita

sports (chasse)

Mi-temps	primo tempo / secondo tempo	primo tèmmpo / sèconndo tèmmpo
Motocyclisme	il motociclismo	mototchiclismo
Panier	il canestro	canèstro
Parier	scommettere	scommèttèrè
Penalty	rigore	rigorè
Perdre	perdere	pèrdèrè
Ping-pong	ping-pong	ping-pong
Piste	la pista	pista
Point	il punto	pounnto
Record	il record	rècord
Ring	il ring / l'arena	rinng / arèna
Rugby	il rugby	rugby
Saut	il salto	salto
Shoot	il tiro	tiro
Stade	lo stadio	stadio
Terrain de football	campo di calcio	cammpo di caltcho
– de golf	– di golf	– di golf
Touche	la rimessa	rimèssa
Trou	il buco	bouco
Vélodrome	il velodromo	vélodromo
Victoire	la vittoria	vittoria
Vol à voile	il volo a vela	volo a vèla

CHASSE
caccia (catcha)

VOCABULAIRE

Affût	l'agguato	aggouato
Armurerie	l'armeria	armèria
Balle	la pallottola	pallottola
Bottes	gli stivali	stivali
Carabine	la carabina	carabina
Cartouche	la cartuccia	cartoutcha
CHASSE GARDÉE	RISERVA DI CACCIA	risèrva di catcha
CHASSE INTERDITE	CACCIA PROIBITA	catcha proïbita
Chasseur	il cacciatore	catchatorè
Chien de chasse	il cane da caccia	canè da catcha
Fermée	chiusa	kiousa
Fusil	il fucile	foutchilè
Garde-chasse	il guardiacaccia	gouardiacatcha
Gibecière	il carniere	carnièrè

Gibier à plume	la selvaggina a piume	sélvadjina a pioumé
Gibier à poil	– a pelo	– a pélo
Lunette (fusil)	il cannocchiale	cannokialé
Meute	la muta	mouta
Ouverte	aperta	apérta
Permis de chasse	il permesso di caccia	pérméssa di catcha
Réserve	la riserva	risérva
Sécurité (d'une arme)	la sicura	sicoura
Tirer	sparare	spararé
Veste de chasse	la giacca da caccia	djacca da catcha

ÉQUITATION
equitazione (écouitatsioné)

VOCABULAIRE

Antérieurs (les)	gli anteriori	anntériori
Assiette	la posizione	positsioné
Bombe	il berretto	il bérrétto
Bottes	gli stivali	stivali
Bouche	la bocca	bocca
Bride	le briglie	brilyé
Cabrer	impennare	immpénnaré
Cheval	il cavallo	cavallo
Concours hippique	il concorso ippico	conncorso ippico
Course d'obstacle	la corsa a ostacoli	corsa a ostacoli
Cravache	la frusta	frousta
Dos	la schiena	skiéna
Écuyer	lo scudiere	scoudiéré
Encolure	il collo	collo
Éperons	gli speroni	spéroni
Étriers	le staffe	staffé
Galop	il galoppo	galoppo
Garrot	il garrese	garrésé
Jument	la giumenta	djouménnta
Longe	la cavezza	cavétsa
Manège	il maneggio	manédjo
Mors	il morso	morso
Obstacle	l'ostacolo	ostacolo
Parcours	il percorso	pércorso
Pas	il passo	passo
Polo	il polo	polo
Poney	il pony	pony

sports (montagne)

Postérieurs (les)	i posteriori	postériori
Promenade à cheval	la passeggiata a cavallo	passèdjata a cavallo
Rênes	le redini	rèdini
Robe	il vestito	vèstito
Ruer	tirar calci	tirar caltchi
Sabots	gli zoccoli	dzoccoli
Sangle	la cinghia	tchinnguia
Sauter	saltare	saltarè
Selle	la sella	sèlla
Tapis de selle	tappeto di sella	tappéto di sèlla
Trot	trotto	trotto

MONTAGNE
montagna (monntanya)

VOCABULAIRE

Alpinisme	l'alpinismo	alpinismo
Anorak	la giacca a vento	djacca a vènnto
Ascension	l'ascensione	achènnsionè
Avalanche	valanga	valannga
BARRIÈRE DE DÉGEL	BARRIERA DI SGELO	barrièra di sdjèlo
Bâtons	le racchette	rakèttè
Bivouac	il bivacco	bivacco
Brouillard	la nebbia	nèbbia
Chute	la caduta	cadouta
Corde	la corda	corda
Cordée	la cordata	cordata
Couloir	il corridoio / canalone	corridoïo / canalonè
Crampons	i ramponi	rammponi
DANGER	PERICOLO	pèricolo
Dégel	lo sgelo	sdjèlo
Dérapage	lo slittamento	slittamènnto
Excursion	l'escursione	escoursionè
Fondre	fondere	fonndèrè
Funiculaire	la funivia	founivia
Gelé	ghiacciato	guiatchato
Glace	il ghiaccio	guiatcho
Glacier	il ghiacciaio	guiatchaïo
Grimper	arrampicarsi	arrammpicarsi
Guide	la guida	gouida
Halte	la sosta	sosta
Leçon	la lezione	lètsionè

sports (montagne)

Louer	affittare	affittarè
Luge	la slitta	slitta
Moniteur	Il maestro	maèstro
Montée	la salita	sàlita
Mousqueton	il moschettone	moskèttonè
Neige	la neve	nèvè
– gelée	– gelata	– djèlata
– poudreuse	– fresca ou vergine	– frèsca ou vèrdjinè
Névé	il nevaio	nèvaïo
Patinage	il pattinaggio	pattinadjo
Patinoire	la pista di pattinaggio	pista di pattinadjo
Patins	i pattini	pattini
Piolet	la piccozza	piccodza
Piste	la pista	pista
Piton	il chiodo / il picco	kiodo / picco
Pluie	la pioggia	piodja
Porte (slalom)	la porta (slalom)	porta
Rappel	scendere con corda doppia	chènndèrè conn corda doppia
Ravin	il precipizio	prètchipitsio
Redoux	il disgelo	disdjèlo
Refuge	il rifugio	rifoudjo
Remonte-pente	la sciovia	chioviä
Roche	la roccia	rotcha
Sac à dos	lo zaino	dzaïno
Sentier	il sentiero	sènntièro
Ski alpin	sci di discesa	chi di dichèsa
– de fond	– di fondo	– di fonndo
Skis	gli sci	chi
Sommet	il picco	picco
Station de sport d'hiver	la stazione di sci	statsionè di chi
Surplomb	lo strapiombo	strapiommbo
Téléférique	la teleferica	télèfèrica
Température	la temperatura	tèmmpèratoura
Tempête de neige	la tempesta di neve	tèmmpèsta di nèvè
Tente	la tenda	tènnda
Torrent	il torrente	torrènntè
Traces	le tracce	tratchè
Traîneau	la slitta	slitta
Tremplin	il trampolino	trammpolino
Vallée	la valle	vallè

SPORTS NAUTIQUES / PÊCHE

sport nautici (sport naoutitchi) / *pesca* (pèsca)

VOCABULAIRE

Accastillage	accastellamento	accastèllamènnto
Amarrer	ammarare	ammararè
Anneau	l'anello	anèllo
Appât	l'esca	èsca
Articles de pêche	gli articoli da pesca	articoli da pèsca
BAIGNADE INTERDITE	DIVIETO DI BALNEAZIONE	divièto di balnèatsionè
Barque	la barca	barca
Barre (direction)	la barra del timone	barra dèl timonè
Bassin	il bacino	batchino
Bateau à moteur	il battello a motore	battèllo a motorè
– à rames	– a remi	– a rèmi
– à voiles	– a vela	– a vèla
Bottes	gli stivali	stivali
Bouée	la boa	boa
Brasse	a rana	a rana
Cabine	la cabina	cabina
Canne à pêche	la canna da pesca	canna da pèsca
Canoë	la canoa	canoa
Canot	il canotto	canotto
Ceinture de sauvetage	il salvagente	salvadjènntè
Combinaison de plongée	la tuta subacquea	touta soubacouèa
Courant	la corrente	corrènntè
Crawl	lo stile libero	stilè librèro
Croisière	la crociera	crotchèra
DANGER	PERICOLO	pèricolo
Dérive	la deriva	dèriva
Eau (point d')	acqua	acoua
Embarcadère	l'imbarcadero	immbarcadèro
Étang	lo stagno	stanyo
Filet de pêche	la rete da pesca	rètè da pèsca
Flèche	la freccia	frètcha
Flotteur	il galleggiante	gallèdjanntè
Foc	il fiocco	fiocco
Fusil	il fucile	foutchilè
Gouvernail	il timone	timonè
Hameçon	l'amo	amo
Harpon	l'arpione	arpionè
Hélice	l'elica	èlica
Hors-bord	il fuori-bordo	fouori-bordo
Jetée	la diga	diga

Lac	il lago	lago
Ligne	la lenza	lènntsa
Louer	affittare	affitarè
Maillot de bain	il costume da bagno	costoumò da banyo
Maître nageur	il maestro di nuoto	maèstro di nouoto
Marée basse	la bassa marea	bassa marèa
– haute	l'alta marea	alta marèa
Masque	la maschera	maskèra
Mât	l'albero maestro	albèro maèstro
Mer	il mare	marè
Météo	la meteorologia	mètèorolodjia
Moniteur	il maestro	maèstro
Mordre (ça mord)	mordere (mordono)	mordèrè (mordono)
Mouillage	l'ormeggio	ormèdjo
Moulinet	il mulinello	mulinèllo
Nage sur le dos	il nuoto sul dorso	nouoto soul dorso
Natation	il nuoto	nouoto
Palmes	le pinne	pinnè
PÊCHE INTERDITE	DIVIETO DI PESCA	divièto di pèsca
Pédalo	il moscone	moscone
Permis de pêche	il permesso di pesca	pèrmèsso di pèsca
Pied (avoir)	toccare	toccarè
Piscine	la piscina	pichina
Plage	la spiaggia	spiadja
Planche à voile	la tavola a vela	tavola a vèla
– de surf	– da surf	– da sourf
Plombs	i piombi	piommbi
Plongée	l'immersione	immèrsionè
Plongeon	il tuffo	touffo
Poisson	il pesce	pèchè
Pont	il ponte	ponntè
Port	il porto	porto
Quai	la banchina	bannkina
Quille	il birillo	birillo
Rames	i remi	rèmi
Rive	la riva	riva
Rivière	la riviera	rivièra
Sable	la sabbia	sabbia
Safran (gouvernail)	la pala	pala
Ski nautique	lo sci nautico	chi naoutico
Station balnéaire	stazione balneare	statsionè balnèarè
Température	la temperatura	tèmmpèratoura
Tempête	la tempesta	tèmmpèsta
Vague	l'onda	onnda
Vent	il vento	vènnto
Voile	la vela	vèla
Yacht	lo yacht, il panfilo	yott, pannfilo

sports (sports nautiques, pêche)

sports (tennis)

TENNIS
tennis (tènnis)

VOCABULAIRE

Balle	la palla	palla
Chaussures de tennis	le scarpe da tennis	scarpè da tènnis
Classement	la classifica	classifica
Couloir	il corridoio	corridoïo
Coup droit	il colpo dritto	colpo dritto
Court de tennis	il campo da tennis	cammpo da tènnis
Double	il doppio	doppio
Faute	l'errore	èrrorè
Filet	la rete	rètè
Jeu	il gioco	djoco
Jouer au tennis	giocare a tennis	djocarè a tènnis
Leçon	la lezione	lètsionè
Match	la partita	partita
– nul	– pari	– pari
Partenaire	il compagno di gioco	commpanyo di djoco
Raquette	la racchetta	rakkètta
Revers	il rovescio	rovècho
Service	il servizio	sèrvitsio
Short	i pantaloncini corti	panntalonntchini corti
Simple	semplice, simple	sèmmplitchè, simmplè
Smash	lo smash, la schiacciata	smash, skiatchata
Tension des cordes	la tensione delle corde	tènnsionè dèllè cordè
Volée	la volée	volè

VISITES TOURISTIQUES / MUSÉES / SITES

visite turistiche (visité touristiké) / *musei* (mouséï) / *siti* (siti)

Où se trouve l'Office du tourisme ?
Dov'è l'ente per il turismo ?
dov'è l'ènntè pèr il tourismo ?

Combien coûte la visite ?
Quanto costa la visita ?
couannto costa la visita ?

De quelle **époque** date-t-elle (il) ?
Di che epoca è ?
di kè època è ?

Quelles sont les **heures d'ouverture** ?
Quali sono le ore d'apertura ?
couali sono lè orè d'apèrtoura ?

Quels sont les **lieux visités** au cours du circuit ?
Quali sono i luoghi visitati lungo il circuito ?
couali sono i louogui visitati lounngo il tchircouito ?

Peut-on prendre des **photos** ?
Si può fotografare ?
si pouo fotografarè ?

Avez-vous un **plan de la ville**... des environs ?
Ha una pianta della città... dei dintorni ?
a ouna piannta dèlla tchitta... dèï dinntorni ?

Quelle (quel) est cette église... ce monument...
ce tableau ?
Come si chiama questa chiesa... questo monumento...
   questo quadro ?
comè si kiama couèsta kièsa... couèsto monou-
   mènnto... couèsto couadro ?

Qui en est l'architecte... le peintre... le sculpteur ?
Chi è l'architetto... il pittore... lo scultore ?
ki è l'arkitètto... il pittorè... lo scoultorè ?

visites touristiques, musées, sites

Combien de **temps dure la visite** ?
Quanto tempo dura la visita ?
couannto tèmmpo doura la visita ?

Où se **trouve** le musée... la cathédrale... le monastère... l'exposition ?
Dov'è il museo... la cattedrale... il monastero... l'esposizione ?
dov'è il mousèo... la cattèdralè... il monastèro... l'èspositsionè ?

Quelle **visite** nous conseillez-vous ?
Che visita ci consiglia ?
kè visita tchi connsilya ?

Y a-t-il une **visite organisée** ?
C'è una visita organizzata ?
tchè ouna visita organidzata ?

Je **voudrais visiter la vieille ville**... le port.
Vorrei visitare la città vecchia... il porto.
vorrèï visitarè la tchitta vèkia... il porto.

VOCABULAIRE

Abbaye	l'abbazia	abbadzia
Abside	l'abside	absidè
Ancien	antico	anntico
Baroque	barocco	barocco
Bâtiment	l'edificio	èdifitcho
Bibliothèque	la biblioteca	bibliotèca
Billet	il biglietto	bilyètto
Cascade	la cascata	cascata
Cathédrale	la cattedrale	cattèdralè
Centre ville	il centro città	tchènntro tchitta
Chef-d'œuvre	il capolavoro	capolavoro
Cimetière	il cimitero	tchimitèro
Circuit	il circuito	tchircouito
Colonne	la colonna	colonna
Croix	la croce	crotchè
Crypte	la cripta	cripta
Curiosité	la curiosità	couriosita
Dessin	il disegno	disènio
Dôme	il duomo	douomo
Douves	il fossato	fossato
Église	la chiesa	kièsa
Entrée	l'entrata	ènntrata

Français	Italien	Prononciation
ENTRÉE LIBRE	ENTRATA LIBERA	énntrata libéra
Environs	i dintorni	dinntorni
Exposition	l'esposizione	ésposistsioné
Façade	la facciata	fatchata
Fontaine	la fontana	fonntana
Fort	il forte	forté
Fresque	l'affresco	affrèsco
Gothique	gotico	gotico
Gratte-ciel	il grattacielo	grattatchélo
Gravure	l'incisione	intchisione
Guide	la guida	gouida
Hôtel de ville	il municipio	mounitchipio
Jardin	il giardino	djardino
– botanique	– botanico	– botanico
– zoologique	lo zoo	dzoo
Marché	il mercato	mércato
Miniature	la miniatura	miniatoura
Monastère	il monastero	monastéro
Monument	il monumento	monouménnto
Moyen Âge	il medioevo	médioévo
Musée	il museo	mouséo
Nef	la navata	navata
Observatoire	l'osservatorio	ossérvatorio
Palais	il palazzo	paladzo
Parc	il parco	parco
Peintre	il pittore	pittoré
Peinture	la pittura	pittoura
Pilier	il pilastro	pilastro
Place	la piazza	piadza
Pont	il ponte	ponnté
Port	il porto	porto
Remparts	le mura	moura
Renaissance	il Rinascimento	rinachiménnto
Roman (style)	lo stile romanico	stilé romanico
Rosace	il rosone	rosoné
Ruelle	la stradina/viuzza	stradina/vioudza
Ruines	le rovine	roviné
Salle	la sala	sala
Sculpteur	lo scultore	scoultoré
Sculpture	la scultura	scoultoura
Siècle	il secolo	sécolo
Statue	la statua	statoua
Style	lo stile	stilé
Tableau	il quadro	couadro
Tour	la torre	torré
Vieille ville	la città vecchia	tchitta vékkia
Visite	la visita	visita
– guidée	– guidata	– gouidata

visites touristiques, musées, sites

DICTIONNAIRE

A

A a.
Abaisser abbassare.
Abandonner abbandonare.
Abbaye abbazia.
Abcès ascesso.
Abeille ape.
Abîmer danneggiare.
Abonner (s') abbonare (rsi).
Abord (d') innanzitutto.
Abri rifugio.
Abriter riparare, proteggere.
Absent assente.
Absolument assolutamente.
Abstenir astenere.
Absurde assurdo.
Abus abuso.
Abuser abusare.
Accélérer accellerare.
Accent accento.
Accepter accettare.
Accessoire accessorio.
Accident incidente.
Accompagner accompagnare.
Accord accordo.
Accrocher appendere.
Accueil accoglienza.
Acheter comprare.
Acompte acconto.
Acquérir acquistare.
Action azione.
Activité attività.
Addition addizione, conto.

Adieu addio.
Admettre ammettere.
Administrateur amministratore.
Admirer ammirare.
Adresse indirizzo.
Adresser indirizzare.
Adroit destro, accorto.
Adulte adulto.
Adversaire avversario.
Aération aerazione.
Aéroport aeroporto.
Affaiblir indebolire.
Affaire affare.
Affranchir liberare.
Affreux (euse) orrendo (a).
Âge età.
Agence agenzia.
Agent agente.
Aggravation aggravamento.
Agir agire.
Agrandir ingrandire.
Agréable piacevole.
Agrément gradimento.
Aide aiuto.
Aigre aspro.
Aiguille ago.
Ailleurs altrove.
Aimable amabile.
Aimer amare.
Aîné maggiore.
Ainsi così.
Air aria.
Ajouter aggiungere.

Alcool *(méd.)* alcole, *(boisson)* liquore.
Alentour dintorni.
Aliment alimento, cibo.
Aliter rimanere a letto.
Aller andare.
Aller et retour andata e ritorno.
Allonger allungare.
Allumer accendere.
Alors allora.
Altitude altitudine.
Amabilité amabilità.
Ambassade ambasciata.
Ambulance ambulanza.
Améliorer migliorare.
Amener portare.
Ami(e) amico (a).
Ampoule lampadina, *(méd.)* vescica.
Amusant divertente.
Amuser (s') divertire (rsi).
Ancêtres antenati.
Ancien antico, vecchio.
Angoisse angoscia.
Animal animale.
Année anno.
Anniversaire compleanno.
Annonce annuncio.
Annuler annullare.
Antérieur anteriore.
Antidote antidoto.
Antiquaire antiquario.
Août agosto.
Apparaître apparire.
Appareil apparecchio.
Appeler chiamare.
Appendicite appendicite.
Appétit appetito.
(**Bon appétit !** buon appetito).
Apprécier godere, fuire.

Appui appoggio.
Appuyer (s') appoggiare (rsi).
Après dopo.
À propos a proposito.
Araignée ragno.
Arbre albero.
Argent *(monnaie)* denaro, *(métal)* argento.
Argument argomento.
Aride arido.
Arme arma.
Arrêt sosta, arresto, *(train, bus)* fermata.
Arrêter (s') fermare (rsi).
Arrière (à l') indietro (all').
Arriver arrivare.
Art arte.
Ascenseur ascensore.
Asseoir (s') sedere (rsi).
Assez abbastanza.
Assiette piatto.
Assurer assicurare.
Assurance assicurazione.
Attaque attacco.
Atteindre colpire, investire.
Attendre attendere, aspettare.
Attente attesa.
Atterrir atterrare.
Attestation attestato.
Attitude attitudine, comportamento.
Auberge albergo.
Aucun alcuno, nessuno.
Au-dedans dentro.
Au-dehors fuori.
Au-delà al di là.
Au-dessous sotto.
Au-dessus sopra.
Au-devant davanti.
Augmentation aumento.

Aujourd'hui oggi.
Auparavant prima.
Aussi anche.
Aussitôt immediatamente.
Autant altrettanto.
Authentique autentico.
Autobus autobus.
Automne autunno.
Autoriser autorizzare.
Autorité autorità.
Autour attorno.
Autre altro.
Avaler ingoiare.
Avance vantaggio, anticipo.
Avant avanti, prima.
Avantageux vantaggioso.
Avant-hier l'altro ieri.
Avec con.
Avenir avvenire, futuro.
Aventure avventura.
Averse acquazzone.
Avertir avvertire.
Aveugle cieco.
Avion aereo.
Avis avviso.
Avocat avvocato.
Avril aprile.

B

Bâbord babordo.
Bac traghetto, barca.
Bâche tendone, telone.
Bagage bagaglio.
Bague anello.
Baignade balneazione.
Baigner bagnare.
Bain bagno.
Baiser bacio.

Baisse bassa, ribasso.
Baisser (se) abbassare (rsi).
Balade passeggiata.
Balai scopa.
Balance bilancia.
Balayer scopare.
Ballon pallone.
Balnéaire balneare.
Balustrade balaustrata.
Banc banco.
Bandage fasciatura.
Banlieue periferia.
Banque banca.
Barbe barba.
Barque barca.
Barrage diga.
Barre sbarra.
Bas basso, *(vêt.)* calza.
Baser basare.
Bassin bacino.
Bas-ventre inguine, basso ventre.
Bataille battaglia.
Bateau battello.
Bâtiment edificio.
Bâtir costruire.
Bâton bastone.
Battre battere.
Baume balsamo.
Bavard chiacchierone.
Beau bello.
Beaucoup molto.
Beau-fils genero.
Beau-frère cognato.
Beau-père suocero.
Beauté bellezza.
Bébé bimbo, bambino, bébé.
Beige crema.
Belle-fille nuora.
Belle-mère suocera.
Belle-sœur cognata.

Belvédère terrazza, altana.
Bénéfice beneficio.
Bénévole benevolo, volontario.
Bénir benedire.
Besoin bisogno.
    (**Avoir besoin** : aver bisogno).
Bétail bestiame.
Bête bestia.
Beurre burro.
Bicyclette bicicletta.
Bien bene.
Bientôt presto.
Bienvenu(e) benvenuto (a).
Bière birra.
Bifurcation biforcazione, bivio.
Bijou gioiello.
Bijoutier gioielliere.
Billet biglietto.
Biscotte fetta biscottata.
Bistrot bar.
Blanc(he) bianco (a).
Blanchir imbiancare.
Blanchisserie lavanderia.
Blé grano.
Blesser ferire.
Bleu blu.
Bobine bobina.
Bœuf bue, manzo,
    (boucherie) manzo.
Boire bere.
Bois legno, *(nature)* bosco.
Boisson bibita.
Boîte scatola.
Bon buono.
Bondé affollato, stipato.
Bonheur felicità.
Bonjour buongiorno.
Bonne nuit buona notte.
Bonsoir buona sera.
Bonté bontà.

Bord bordo.
Bosse bernoccolo, gobba.
Bouche bocca.
Boucherie macelleria.
Boucle fibbia, riccio,
    (du fleuve) ansa.
Boudin sanguinaccio.
Boue fango.
Bouée salvagente.
Bouger muovere.
Bougie candela.
Bouillant bollente.
Boulanger fornaio.
Boule palla, boccia.
Boussole bussola.
Bouteille bottiglia.
Boutique negozio.
Bouton bottone.
Bracelet braccialetto.
Bras braccio.
Brasserie birreria.
Bref breve.
Brillant brillante.
Briser rompere, spezzare.
Broder ricamare.
Brosse spazzola.
Brouillard nebbia.
Bruit rumore.
Brume bruma.
Brun(e) bruno (a).
Bulletin météorologique
    bolletino meteorologico.
Bureau ufficio,
    (meuble) scrivania.
Bus bus.
But *(destination)* meta,
    (sport) gol.
Buvable bevibile.

C

Cabane capanna, prigione.
Cabaret cabaret.
Cabine cabina.
Câble cavo.
Cacher nascondere.
Cadeau regalo.
Cadenas catenaccio.
Cadet(te) minore.
Caduc caduco.
Café caffè.
Cahier quaderno.
Caillou sasso.
Caisse cassa.
Calcaire calcare.
Calcul calcolo.
Cale stiva.
Calendrier calendario.
Calmant calmante.
Calme calmo.
Camarade camerata, compagno.
Camion camion.
Campagne campagna.
Camper campeggiare.
Camping camping.
Canal canale.
Canard anatra.
Cancer cancro.
Canne canna.
Canot canotto.
Capable capace.
Capitale capitale.
Car corriera.
Cardiaque cardiaco.
Cargaison carico.
Carré(e) quadrato (a).
Carrefour incrocio.
Carte *(jeu)* carta, *(poste)*
    cartolina, *(menu)* lista.

Carton cartone.
Cas caso.
Casse-croûte merenda, panino.
Casser rompere.
Casserole casseruola, pentola.
Cathédrale cattedrale.
Cauchemar incubo.
Cause causa.
    (À cause de : a causa di).
Causer causare.
Caution cauzione.
Cavalier cavaliere, arrogante.
Ce, cet, cette, celui, celle questo,
    questa, quello, quella.
Ceci, cela ciò.
Célèbre celebre.
Célibataire celibe *(m.)*, nubile *(f.)*.
Celle-là, celui-là quella lì,
    quello lì.
Cent cento.
Central centrale.
Centre centro.
Cependant frattanto,
    in quel mentre.
Cercle circolo.
Certain certo.
Certainement certamente.
Certificat certificato.
Ces questi.
C'est pourquoi ecco perché.
C'est tout è tutto.
Chacun(e) ciascuno (a).
Chaîne catena.
Chaise sedia.
Chaleur calore.
Chaloupe scialuppa.
Chambre camera.
Chance fortuna.
Change cambio.
Changement cambiamento.

Changer cambiare.
Chanson canzone.
Chant canto.
Chapeau cappello.
Chapelle cappella.
Chaque ogni.
Charbon carbone.
Charcutier salumiere.
Charge carica.
Chariot carrello.
Chasser cacciare.
Château castello.
Chaud(e) caldo (a).
Chauffage riscaldamento.
Chauffer riscaldare.
Chauffeur autista.
Chaussure scarpa.
Chemin cammino, sentiero.
Chemise camicia.
Chèque assegno.
Cher (ère) caro (a).
Chercher cercare.
Chéri(e) caro (a).
Cheval cavallo.
Cheveux capelli.
Chien(ne) cane, cagna.
Choc choc.
Chiffon straccio.
Chiffre cifra.
Choisir scegliere.
Chose cosa.
Chute caduta.
Ciel cielo.
Cigare sigaro.
Cigarette sigaretta.
Cinéma cinema.
Cintre attaccapanni.
Cirage lucido da scarpe.
Circonstance circostanza.
Circuit circuito.

Circulation traffico, circolazione.
Ciseaux forbici.
Citoyen cittadino.
Citron limone.
Clair chiaro.
Classe classe.
Clavicule clavicola.
Clef chiave.
Client cliente.
Climat clima.
Cloche campana.
Clocher campanile.
Clou chiodo.
Cochon maiale.
Code codice.
Cœur cuore.
Coiffeur parrucchiere.
Coin angolo.
Col collo, *(géo.)* valico.
Colère collera.
Colis pacco.
Colle colla.
Collection collezione.
Collier collana.
Colline collina.
Collision collisione.
Colonne colonna.
Coloré colorato.
Combien quanto.
Comestible commestibile.
Commandant comandante.
Commande comando.
Commander comandare.
Comme come.
Commencement inizio.
Comment come.
Commissariat commissariato.
Commode facile.
Commun(ne) comune.
Communication comunicazione.

DICTIONNAIRE

Compagnon compagno.
Comparaison paragone, confronto.
Comparer confrontare.
Compartiment scompartimento.
Compatriote compatriota.
Complet completo.
Complètement completamente.
Composer comporre.
Comprendre capire.
   (**Se faire comprendre** farsi capire).
Comprimé compressa.
Compris capito, compreso.
Compte bancaire conto in banca.
Compter contare.
Concerner concernere, riguardare.
Concert concerto.
Concierge guardiano.
Condition condizione.
Condoléances condoglianze.
Conducteur conducente.
Conduire condurre.
Conduite guida, *(comportement)* contegno.
Confiance fiducia.
Confirmer confermare.
Confiture confettura, marmellata.
Confondre confondere.
Confort conforto, comodità.
Confortable confortevole.
Congé congedo.
Connaissance conoscenza.
Connaître conoscere.
Consciencieux (se) coscenzioso (a).
Conseiller consigliare.
Consentir acconsentire.
Conserver conservare.
Considérable considerevole.

Considérer considerare.
Consigne consegna, deposito bagagli.
Consommation consumazione.
Consommer consumare, bere, mangiare.
Constater constatare.
Constitution costituzione.
Construire costruire.
Consulat consolato.
Contact contatto.
Contenir contenere.
Content contento.
Contenu contenuto.
Continuer continuare.
Contraceptif contraccettivo.
Contraire contrario.
   (**Au contraire :** al contrario).
Contrat contratto.
Contre contro.
Contrôle controllo.
Contrôleur controllore.
Convaincre convincere.
Convenir convenire, essere d'accordo.
Conversation conversazione.
Coq gallo.
Corde corda.
Cordial(e) cordiale.
Cordonnier calzolaio.
Corps corpo.
Corpulent(e) corpulento (a).
Correct(e) corretto (a).
Correspondance corrispondenza.
Corriger correggere.
Costume abito.
Côte costa.
Côté lato.
Coton cotone.
Cou collo.

Coucher coricarsi.
Couchette cuccetta.
Coude gomito.
Coudre cucire.
Couler colare.
Couleur colore.
Coup colpo.
Coupable colpevole.
Couper tagliare.
Couple coppia.
Coupon scampolo, ritaglio.
Cour corte, *(justice)* cortile.
Courant corrente.
Courir correre.
Courrier posta.
Courroie cinghia.
Cours corso.
Court(e) corto (a).
Cousin(e) cugino (a).
Coût costo.
Couteau coltello.
Coûter costare.
Coûteux costoso.
Coutume costume, usanza.
Couturier sarto.
Couvent convento.
Couvert coperto.
Couverture coperta.
Couvrir coprire.
Cracher sputare.
Craindre temere.
Crayon matita.
Crédit credito.
Créer creare.
Crème crema, *(lait)* panna.
Crier gridare.
Critiquer criticare.
Croire credere.
Croisière crociera.
Cru(e) crudo (a).

Cueillir cogliere.
Cuiller cucchiaio.
Cuir cuoio.
Cuire cuocere.
Cuisine cucina.
Cuisiner cucinare.
Cuisinier (ère) cuoco (cucina).
Cuisinière à gaz cucina a gas.
Cuisse coscia.
Curé parroco.
Curieux (se) curioso (a).
Curiosité curiosità.

D

Dame signora.
Danger pericolo.
Dans nel.
Danse danza.
Danser ballare.
Date data.
Davantage di più.
De di.
Débarquement sbarco.
Débarquer sbarcare.
Débile debole.
Debout in piedi.
Débrancher staccare.
Début inizio.
   (Au début : all'inizio).
Débuter cominciare.
Décembre dicembre.
Décent decente.
Décevoir deludere.
Décharger scaricare.
Déchirer strappare.
Décidé deciso.
Décider decidere.
Décision decisione.

Déclaration dichiarazione.
Déclarer dichiarare.
Décollage decollo.
Décommander disdire.
Décompte defalco, sconto.
Déconseiller sconsigliare.
Décourager scoraggiare.
Découvrir scoprire.
Décrire descrivere.
Déçu(e) deluso (a).
Dedans all'interno, dentro.
Dédommager risarcire, compensare.
Dédouaner sdoganare.
Défaire disfare.
Défaut difetto.
Défavorable sfavorevole.
Défectueux (se) difettoso (a).
Défendre difendere.
Définir definire.
Dégât guasto.
Dehors fuori.
Déjà già.
Déjeuner pranzare.
Délai proroga.
Délicat(e) delicato (a).
Délit delitto.
Délivrer liberare.
Demain domani.
Demander domandare.
Démarrer slanciarsi, salpare.
Déménager traslocare.
Demi(e) mezzo (a).
Démodé fuori moda.
Demoiselle signorina.
Denrées alimentaires generi alimentari.
Dent dente.
Dentelle merletto.
Dentifrice dentifricio.

Dentiste dentista.
Départ partenza.
Dépasser superare.
Dépêcher spicciarsi, affrettarsi.
Dépense spesa.
Dépenser spendere.
Déplaire spiacere.
Déplaisant(e) spiacevole.
Déposer deporre.
Depuis da.
Dérangement disturbo.
Déranger disturbare.
Dérégler sregolare.
Dernier (ère) ultimo (a).
Derrière dietro.
Dès que non appena.
Désagréable sgradevole.
Descendre scendere.
Descente discesa.
Description descrizione.
Désert deserto.
Désespéré disperato.
Déshabiller svestire.
Désinfecter disinfettare.
Désirer desiderare.
Désordre disordine.
Dessiner disegnare.
Dessous sotto.
Dessus sopra.
Destinataire destinatario.
Destination destinazione.
Détachant smacchiante.
Détail dettaglio.
Détour svolta.
Détruire distruggere.
Dette debito.
Deuxième secondo.
Deuxièmement in secondo luogo.
Devant davanti.
Développement sviluppo.

Développer sviluppare.
Devenir diventare, divenire.
Déviation deviazione.
Deviner indovinare.
Devises valuta.
Devoir dovere.
Diarrhée diarrea.
Dictionnaire dizionario.
Dieu dio.
Différence differenza.
Différent(e) differente.
Différer essere differente,
   differire.
Difficile difficile.
Difficulté difficoltà.
Dimanche domenica.
Diminuer diminuire.
Dîner cenare.
Dire dire.
Directement direttamente.
Directeur direttore.
Direction direzione.
Disparaître sparire.
Dispute disputa.
Distance distanza.
Distinguer distinguere.
Distraction distrazione.
Distraire distrarre.
Distributeur distributore.
Distributeur de billets sportello
   automatico.
Diviser dividere.
Dix dieci.
Dizaine decina.
Docteur dottore.
Document documento.
Doigt dito.
Domaine tenuta, dominio.
Domicile domicilio.
Dommage peccato.

Donc dunque.
Donner dare, donare.
Dont di cui.
Dormir dormire.
Dos schiena.
Douane dogana.
Douanier doganiere.
Double doppio.
Doubler doppiare, sorpassare.
Doucement lentamente,
   dolcemente.
Douche doccia.
Douleur dolore.
Douloureux (se) doloroso (a).
Doute dubbio.
Douteux dubbioso.
Doux (ce) dolce.
Douzaine dozzina.
Drap lenzuolo.
Droit(e) diritto (a)
   (**À droite** : a destra).
Dune duna.
Dur(e) duro (a).
Durée durata.
Durer durare.
Dureté durezza.

E

Eau acqua.
Écart scarto.
Échanger scambiare.
Échantillon campione.
Échelle scala.
Éclair lampo.
Éclairer illuminare.
École scuola.
Économiser economizzare.
Écouter ascoltare.

Écouteur ricevitore.
Écrire scrivere.
Édifice edificio.
Éducation educazione.
Effet effetto.
Efficace efficace.
Efforcer (s') sforzare (rsi).
Effort sforzo.
Effrayer impaurire.
Égal(e) uguale.
Égarer perdere.
Église chiesa.
Élection(s) elezione (i).
Éloigné allontanato.
Emballage imballaggio.
Embrasser abbracciare.
Émission trasmissione.
Emmener portare.
Empêcher impedire.
Empire impero.
Emploi impiego.
Employé impiegato.
Employer impiegare.
Emporter portar con sè.
Emprunter prender in prestito.
Ému commosso.
Encore ancora.
Endommager danneggiare.
Endormir addormentare.
Endroit luogo.
Enfant bambino.
Enfin infine.
Enflammer infiammare.
Enflure gonfiore.
Enlever rimuovere.
Ennuyeux noioso.
Enseigner insegnare.
Ensemble insieme.
Ensuite dopo.
Entendre udire, sentire.

Enthousiasme entusiasmo.
Entier (ère) intero (a).
Entracte intervallo.
Entraider aiutarsi.
Entre tra.
Entrée entrata.
Entreprise impresa.
Entrer entrare.
Enveloppe busta.
Envers verso.
(À l'envers : a rovescio).
Environ circa.
Environs dintorni.
Épais spesso, folto.
Épaule spalla.
Épeler compitare.
Épicerie drogheria.
Épices spezie.
Épidémie epidemia.
Épingle spillo.
Époque epoca.
Épouvantable spaventoso.
Époux (se) sposo (a).
Épuisé esaurito, esausto.
Équipage equipaggio.
Équipe squadra.
Équipement equipaggiamento.
Équiper allestire, attrezzare.
Équitation equitazione.
Équivalent equivalente.
Erreur errore.
Escale scalo.
Escalier scala.
Escroquerie truffa.
Espace spazio.
Espèces specie.
Espérer sperare.
Essayer provare.
Essence benzina.
Est est.

Estimer stimare.
Estomac stomaco.
Et e.
Étage piano.
État stato.
Été estate.
Éteindre spegnere.
Étendre (s') stendere (rsi).
Étoile stella.
Étonner stupire.
Étranger straniero.
Être essere.
  (C'est, ce n'est pas : è, non è).
Étroit stretto.
Étude(s) studio (studi).
Étudier studiare.
Euro euro.
Europe Europa.
Européen europeo.
Évacuer evacuare, sgombrare.
Évanouir (s') svenire.
Événement avvenimento.
Éventuellement eventualmente.
Évident evidente.
Éviter evitare.
Exact esatto.
Examiner esaminare.
Excédent eccedente.
Excellent eccellente.
Exception eccezione.
Excursion escursione.
Excuse scusa.
Excuser (s') scusare (rsi).
Exercer (s') esercitare (rsi).
Exercice esercizio.
Expédition spedizione.
Expérience esperienza.
Expirer spirare.
Expliquer spiegare.
Exportation esportazione.

Exprès apposta.
Express *(café)* espresso, *(train)* espresso.
Exquis squisito.
Extérieur esteriore.
  (À l'extérieur : all'esterno).
Extincteur estintore.
Extraordinaire straordinario.
Ex-voto voto.

F

Fabriqué à fabbricato a.
Face di fronte, faccia.
Fâché arrabbiato.
Fâcheux increscioso.
Facile facile.
Facilité facilità.
Façon modo.
Facteur postino.
Facture fattura.
Faible debole.
Faim fame.
Faire fare.
– des achats – spese.
– attention – attenzione.
– demi-tour – dietro front.
– marche arrière tornare indietro.
Fait fatto.
Falloir occorrere, convenire.
Famille famiglia.
Fatigant(e) faticoso (a).
Fatiguer affaticare.
Faut (il) bisogna.
Faute errore.
Faveur favore.
Féliciter felicitare.
Féminin(e) femminile.
Femme donna.

Fenêtre finestra.
Fer ferro.
Ferié festivo.
Ferme *(propriété)* fattoria, *(adj.)* fermo.
Fermé chiuso.
Fermer chiudere.
Fermeture chiusura.
Féroce feroce.
Ferroviaire ferroviario.
Ferry-boat ferry-boat, traghetto.
Fête festa.
Fêter festeggiare.
Feu fuoco.
Feuille *(arbre)* foglia, *(papier)* foglio.
Février febbraio.
Fiancé(e) fidanzato (a).
Ficelle spago.
Fièvre febbre.
Fil filo.
File fila.
Filet *(viande)* filetto, rete.
Fille ragazza.
Film film.
Fils figlio.
Filtre filtro.
Fin *(nom)* fine, *(adj.)* fino (a).
Firme ditta.
Fixer fissare.
Flamme fiamma.
Fleur fiore.
Fleurir fiorire.
Fleuve fiume.
Foi fede.
Foie fegato.
Foire fiera.
Fois volta.
Fonctionnaire funzionario.
Fonctionner funzionare.

Fond fondo.
Force forza.
Forêt foresta.
Formation formazione.
Forme forma.
Former formare.
Formidable formidabile.
Formulaire formulario.
Fort(e) forte.
Fou, folle pazzo, pazza.
Foulard foulard, fazzoletto.
Foule folla.
Fourchette forchetta.
Fournir fornire.
Fourrure pelliccia.
Fragile fragile.
Frais (fraîche) fresco (a).
Français francese.
France Francia.
Frapper colpire.
Fraude frode, inganno.
Frein(s) freno (i).
Fréquent(e) frequente.
Frère fratello.
Frire friggere.
Froid(e) freddo (a).
Fromage formaggio.
Frontière frontiera.
Frotter strofinare.
Fruit frutta.
Fuite fuga, perdita.
Fumé affumicato.
Fumée fumo.
Fumer fumare.
Fumeur fumatore.
Funiculaire funicolare.
Furieux furioso.
Fusible fusibile.
Fusil fucile.
Futur futuro.

G

Gagner vincere.
Gai(e) gaio (a), lieto (a), allegro(a).
Gain vincita.
Galerie galleria.
Gant guanto.
Garage garage.
Garantie garanzia.
Garçon ragazzo, *(de café)* cameriere.
Garder tenere.
Gardien guardiano.
Gare stazione.
Garer (se) parcheggiare.
Gasoil gasolio.
Gâteau dolce.
Gauche sinistra.
Gaz gas.
Geler gelare.
Général generale.
Gens gente.
Gentil gentile.
Gérant amministratore.
Gibier selvaggina.
Glace gelato, *(miroir)* specchio.
Gonfler gonfiare.
Gorge gola.
Goût gusto.
Goutte goccia.
Grâce à grazie a.
Grand grande.
Grandeur grandezza.
Grandir diventar grande, ingrandirsi.
Grand-mère nonna.
Grand-père nonno.
Gras(se) grasso (a).
Gratuit(e) gratuito (a).

Grave grave.
Grève sciopero.
Grille griglia.
Griller grigliare.
Grimper arrampicarsi.
Grippe influenza.
Gris(e) grigio (a).
Gros grosso.
Grossier (ère) grossolano, rozzo.
Grossir ingrossare.
Groupe gruppo.
Guêpe vespa.
Guérir guarire.
Guichet sportello.
Guide guida.
Guider guidare.

H

Habiller (s') vestire (rsi).
Habitant abitante.
Habiter abitare.
Habitude abitudine.
Habituellement d'abitudine.
Habituer (s') abituare (rsi).
Hacher macinare, tritare.
Hanche anca.
Haricot fagiolo.
Hasard caso.
Hâte fretta.
Haut(e) alto (a).
  (En haut : in alto).
Hauteur altezza.
Hebdomadaire settimanale.
Herbe erba.
Heure ora.
Heureux felice.
Heureusement fortunatamente.
Hier ieri.

Histoire storia.
Hiver inverno.
Homard gambero di mare.
Homme uomo.
Honnête onesto.
Honneur onore.
Honoraires onorari.
Honte vergogna.
Hôpital ospedale.
Horaire orario.
Horrible orribile.
Hors de fuori da.
Hors-d'œuvre antipasto.
Hors saison fuori stagione.
Hors taxe esente da tassa.
Hospitalité ospitalità.
Hôte ospite.
Hôtel hotel, albergo.
Hôtel de ville municipio.
Hôtesse ospite.
Huile olio.
Huître ostrica.
Humeur umore.
Humide umido.
Humour ironia, humor.
Hutte capanna.

I

Ici qui.
Idéal(e) ideale.
Idée idea.
Idiot(e) idiota.
Il, ils, lui, eux egli, loro, lui, essi.
Il y a c'è.
Ile isola.
Illégal(e) illegale.
Image immagine.
Imbécile imbecille.

Immatriculation immatricolazione.
Immediat(e) immediato.
Immeuble immobile.
Immigration immigrazione.
Immunisation immunizzazione.
Immunisé immunizzato.
Immunité immunità.
Impatient(e) impaziente.
Imperméable impermeabile.
Important importante.
Importer importare.
Importuner importunare.
Impossible impossibile.
Impôt tassa.
Impression impressione.
Imprimer imprimere.
Imprudent(e) imprudente.
Inadvertance inavvertenza.
Inattendu(e) inatteso (a).
Incapable incapace.
Incendie incendio.
Incertain(e) incerto (a).
Incident incidente.
Inclure includere.
Inclus incluso.
Inconfortable scomodo.
Inconnu(e) sconosciuto (a).
Inconvénient inconveniente.
Incroyable incredibile.
Indécent indecente.
Indécis(e) indeciso (a).
Indépendant(e) indipendente.
Indéterminé indeterminato.
Indication indicazione.
Indice indice.
Indigestion indigestione.
Indiquer indicare.
Indispensable indispensabile.
Individuel individuale.

Industrie industria.
Inefficace inefficace.
Inévitable inevitabile.
Infecté infettato.
Infectieux (se) infettivo (a).
Infection infezione.
Infirme infermo.
Infirmière infermiera.
Inflammable Infiammabile.
Information informazione.
Informer informare.
Injection iniezione, puntura.
Injuste ingiusto.
Innocent(e) innocente.
Inondation inondazione.
Inquiet (ète) inquieto (a).
Inscrire inscrivere.
Insecte insetto.
Insecticide insetticida.
Insignifiant insignificante.
Insister insistere.
Insolation insolazione.
Insomnie insonnia.
Installation installazione.
Instant istante, momento.
Instruction istruzione.
Instrument strumento.
Insuffisant(e) insufficiente.
Insuline insulina.
Insupportable insopportabile.
Intelligence intelligenza.
Intelligent(e) intelligente.
Intensif intensivo.
Intercontinental
  intercontinentale.
Intéressant interessante.
Intéresser (s') interessare (rsi).
Intérêt interesse.
Intérieur interno, interiore.
  (**À l'intérieur :** all'interno).

Intermédiaire intermediario.
International(e) internazionale.
Interprète interprete.
Interroger interrogare.
Interrompre interrompere.
Interrupteur interruttore.
Interruption interruzione.
intervalle intervallo.
Intonation intonazione.
Intoxication intossicazione.
Inutile inutile.
Inventer inventare.
Inversement inversamente,
  all'opposto.
Invitation invito.
Inviter invitare.
Invraisemblable inverosimile.
Irrégulier (ère) irregolare.
Irrité irritato, arrabbiato.
Itinéraire itinerario.

J

Jaloux (se) geloso (a).
Jamais mai.
Jambe gamba.
Jambon prosciutto.
Janvier gennaio.
Jardin giardino.
Jaune giallo.
Je io.
Jetée diga, gettata.
Jeter gettare, buttare.
Jeton gettone.
Jeu gioco.
Jeudi giovedí.
Jeun (à) digiuno (a).
Jeune giovane.
Jeûne digiuno.

Jeunesse giovinezza.
Joaillerie gioielleria.
Joie gioia.
Joindre congiungere, unire.
Joli(e) carino (a).
Jonction congiunzione, ricongiungimento.
Jouer giocare.
Jouet giocattolo.
Jour giorno.
– férié – festivo.
– ouvrable – feriale.
– de l'an capodanno.
Journal giornale.
Journée giornata.
Joyau gioiello.
Joyeux (se) gioioso (a), allegro (a).
Juge giudice.
Juger giudicare.
Juillet luglio.
Juin giugno.
Jumeau (elle) gemello (a).
Jumelles binocolo.
Jument giumenta.
Jupe gonna.
Juridique giuridico.
Jus succo.
Jusqu'à fino a che, fino a.
Jusque fino.
Juste giusto.
Justice giustizia.

K – L

Kilogramme chilogrammo.
Kilomètre chilometro.
Kiosque chiosco, edicola.
Klaxon clacson.

Là là.
Là-bas laggiù.
Là-haut lassù.
Lac lago.
Lacet laccio.
Laid brutto.
Laine lana.
Laisser lasciare.
Laisser-passer lasciapassare.
Lait latte.
Lampe lampada.
– de poche torcia.
Langue lingua.
Lapin coniglio.
Large largo.
Largeur larghezza.
Lavabo lavabo.
Laver lavare.
Laverie lavanderia.
Le, la, les il, la, i.
Leçon lezione.
Légal legale.
Léger (ère) leggero (a).
Légumes ortaggi, verdura.
Lent lento.
Lentement lentamente.
Lentilles lenticchie.
Lequel, laquelle quale.
Lessive bucato.
Lettre lettera.
Leur loro.
Lever (se) alzare (rsi).
Levier leva.
Lèvre labbra.
Libre libero.
Licence licenza.
Licite lecito.
Lier legare.
Lieu luogo.
Ligne linea.

Linge biancheria.
Liquide liquido.
Lire leggere.
Liste lista.
Lit letto.
Litige litigio, baruffa.
Litre litro.
Livre libro.
Livrer consegnare.
Localité località.
Locataire colui che affitta.
Location affitto.
Loge loggia.
Loi legge.
Loin lontano.
Loisir agio, riposo.
Long(ue) lungo (a).
Longueur lunghezza.
Lotion lozione.
Louer affittare.
Lourd(e) pesante.
Loyer affitto.
Lui lui.
Lumière luce.
Lumineux luminoso.
Lundi lunedì.
Lune luna.
Lunettes occhiali.
Luxe lusso.
Luxueux lussuoso.

M

Mâchoire mascella.
Madame signora.
Mademoiselle signorina.
Magazin negozio.
Magnifique magnifico.
Mai maggio.

Maigre magro.
Maillot de bain costume da bagno.
Main mano.
Maintenant ora.
Mairie municipio.
Mais ma.
Maison casa.
Maître d'hôtel maggiordomo.
Majorité maggioranza.
Mal male.
    (**Avoir mal** : aver male).
Malade malato.
Maladie malattia.
Mâle maschio.
Malheureusement sfortunatamente.
Malheureux (se) sfortunato (a), infelice.
Malhonnête disonesto.
Malsain malsano, insalubre.
Manger mangiare.
Manière maniera.
Manifestation manifestazione.
Manifestement apertamente, palese.
Manque mancanza.
Manquer mancare.
Manteau cappotto.
Manuel manuale.
Maquillage trucco.
Marchand(e) mercante, mercantessa.
Marchander contrattare.
Marchandise merce.
Marcher camminare.
Mardi martedì.
Marée basse bassa marea.
– haute alta marea.
Mari marito.

Mariage matrimonio.
Marié(e) sposato (a).
Marier (se) sposare (rsi).
Marin marinaio.
Marine marina.
Maroquinerie valigeria.
Marque marca.
Marraine madrina.
Marron marrone.
Mars marzo.
Marteau martello.
Masculin(e) maschile.
Masque maschera.
Massage massaggio.
Match partita.
Matelas materasso.
Matériel materiale.
Matin mattina.
Mauvais(e) cattivo (a).
Maximum massimo.
Mécanicien meccanico.
Mécanisme meccanismo.
Méchant(e) cattivo (a),
    malvagio (a).
Mécontent(e) scontento (a).
Médecin medico.
Médical(e) medico (a).
Médicament medicina.
Médiocre mediocre.
Méfier (se) diffidare.
Meilleur(e) migliore.
Mélange miscuglio, mescolanza.
Mélanger mescolare.
Membre membro.
Même stesso.
Mensonge bugia, menzogna.
Mensuel(le) mensile.
Mentir mentire.
Menu menù.
Mer mare.

Merci grazie.
Mercredi mercoledì.
Mère madre.
Merveilleux meraviglioso.
Message messaggio.
Messe messa.
Mesure misura.
Mesurer misurare.
Métal metallo.
Météorologie meteorologia.
Mettre mettere.
Meuble mobile.
Meublé ammobiliato.
Meurtre omicidio.
Mexique Messico.
Microbe microbo.
Midi mezzogiorno.
Mieux meglio.
Migraine emicrania.
Mille mille, *(mesure)* miglio.
Million milione.
Mince fino, sottile.
Mine mina.
Minimum minimo.
Minuit mezzanotte.
Minute minuto.
Miroir specchio.
Mode moda.
Modèle modello.
Moderne moderno.
Moi io.
Moins (au) meno, almeno.
Mois mese.
Moitié metà.
Moment momento.
Mon, ma, mes mio, mia, miei.
Monastère monastero.
Monde mondo.
Monnaie moneta.
Monsieur signore.

Montagne montagna.
Montant montante.
Monter montare.
Montre orologio.
Montrer mostrare.
Monument monumento.
Morceau pezzo.
Mort(e) morto (a).
Mosquée moschea.
Mot parola.
Moteur motore.
Moto moto.
Mou molle.
Mouche mosca.
Mouchoir fazzoletto.
Mouillé bagnato.
Moule *(mollusque)* cozza.
Mourir morire.
Moustiquaire zanzariera.
Moustique zanzara.
Moutarde senape.
Mouton montone.
Mouvement movimento.
Moyen medio.
Mûr(e) maturo (a).
Mur muro.
Musée museo.
Musique musica.
Musulman musulmano.

N

Nage nuoto.
Nager nuotare.
Naissance nascita.
Naître nascere.
Nappe tovaglia.
Natation nuoto.
Nationalité nazionalità.

Nature natura.
Naturel(le) naturale.
Naufrage naufragio.
Nausée nausea.
Navigation navigazione.
Navire nave, bastimento.
Né(e) nato (a).
Ne pas, non plus non, neanche.
Nécessaire necessario.
Nécessité necessità.
Nef nave.
Négatif negativo.
Négligent(e) negligente.
Neige neve.
Neiger nevicare.
Nerveux (se) nervoso (a).
N'est-ce pas ? no ?
Nettoyer pulire.
Neuf nuovo.
Neveu nipote.
Nez naso.
Ni ne.
Nièce nipote.
Nier negare.
Niveau livello.
Noël Natale.
Nœud nodo.
Noir(e) nero (a).
Nom nome.
Nombre numero.
Nombreux (se) numeroso (a).
Non no.
Nord nord.
Nord-est nord-est.
Nord-ouest nord-ovest.
Normal(e) normale.
Notre nostro.
Nourrissant(e) nutriente.
Nourriture cibo.
Nous noi.

Nouveau (elle) nuovo (a).
Nouvel An Anno nuovo.
Nouvelle nuova.
Novembre novembre.
Noyau nocciolo.
Noyer noce.
Nuage nuvola.
Nuire nuocere.
Nuisible nocivo.
Nuit notte.
Nulle part da nessuna parte.
Numéro numero.
Numéroter numerare.

O

Objectif obiettivo.
Objet oggetto.
Obligation obbligo.
Obligatoire obbligatorio.
Obscurité oscurità.
Observer osservare.
Obtenir ottenere.
Occasion occasione.
Occupé occupato.
Occuper (s') occupare (rsi).
Océan oceano.
Octobre ottobre.
Odeur odore.
Œil occhio.
Œuf uovo.
Œuvre opera.
Offense offesa.
Officiel(le) ufficiale.
Offrir offrire.
Oiseau uccello.
Ombre ombra.
Omelette frittata.
Omission omissione, dimenticanza.

On si.
Oncle zio.
Ongle unghia.
Onze undici.
Opéra opera.
Opération operazione.
Opérer operare.
Opinion opinione.
Opportun(e) opportuno (a).
Opposé opposto.
Opticien ottico.
Or oro.
Orage temporale.
Orange arancia.
Orchestre orchestra.
Ordinaire abituale.
Ordinateur computer.
Ordonnance ricetta (méd.)
Ordre ordine.
Ordures immondizie.
Oreille orecchio.
Oreiller guanciale, cuscino.
Organisation organizzazione.
Organiser organizzare.
Orientation orientamento.
Orienter (s') orientare (rsi).
Originaire originario.
Original(e) originale.
Orteil alluce.
Orthographe ortografia.
Os osso.
Oser osare.
Oter togliere, levare.
Ou o.
Où dove.
Oublier dimenticare.
Ouest ovest.
Oui si.
Outil utensile.
Outre-mer oltremare.

Ouvert(e) aperto (a).
Ouvre-boîtes apriscatole.
Ouvrir aprire.

P

Pacotille paccottiglia.
Page pagina.
Paiement pagamento.
Paillasson nettapiedi, zerbino.
Paille paglia.
Pain pane.
Paire paio.
Paix pace.
Palais palazzo.
Pâle pallido.
Pamplemousse pompelmo.
Panier paniere.
Panne guasto.
Panneau cartello.
Pansement fasciatura.
Pantalon pantaloni.
Papeterie cartoleria.
Papier carta.
Papiers documenti.
Papillon farfalla.
Paquebot piroscafo.
Pâques Pasqua.
Paquet pacchetto.
Par attraverso.
Paraître apparire, mostrarsi.
Parapluie ombrello.
Parasol ombrellone.
Paravent paravento.
Parc parco.
Parce que perchè.
Parcmètre parchimetro.
Pardessus cappotto.
Pardon perdono.

Pardonner perdonare.
Pareil simile.
Parent parente.
Parents *(père, mère)* genitori.
Paresseux pigro.
Parfait(e) perfetto (a).
Parfum profumo.
Pari scommessa.
Panier paniere.
Parking parcheggio.
Parlement parlamento.
Parler parlare.
Parmi tra.
Parrain padrino.
Part parte.
Partager dividere.
Parti partito.
Partie parte, *(jeu)* partita.
Partir partire.
Partout dappertutto.
Pas passo.
Pas du tout assolutamente no.
Passage passaggio.
Passager (ère) passeggero (a).
Passé passato.
Passeport passaporto.
Passer passare.
Passe-temps passatempo.
Passionnant avvincente.
Pasteur pastore, prete.
Pastille pastiglia.
Pâte pasticcio, *(alimentaire)* pasta.
Patient paziente.
Patienter pazientare.
Patinage pattinaggio.
Pâtisserie pasticceria.
Patrie patria.
Patron(ne) padrone (a).
Paupière palpebra.
Pause pausa.

Pauvre povero.
Payable pagabile.
Payer pagare.
Pays paese.
Paysage paesaggio.
Péage pedaggio.
Peau pelle.
Pêche pesca, *(fruit)* pesca.
Pêcher pescare.
Pêcheur pescatore.
Pédicure pedicure.
Peigne pettine.
Peindre dipingere.
Peine pena.
  (**À peine** : appena).
Peintre pittore.
Peinture pittura.
Pelle pala, badile.
Pellicule pellicola,
  (cheveux) forfora.
Pelote gomitolo.
Pendant durante.
Penderie guardaroba.
Pendule orologio, pendolo.
Penser pensare.
Pension pensione.
Pente discesa.
Pentecôte Pentecoste.
Percolateur macchina del caffè.
Perdre perdere.
Père padre.
Périmé scaduto.
Période periodo.
Périphérie periferia.
Perle perla.
Permanent permanente.
Permettre permettere.
Permission permesso.
Personne persona, *(nég.)*
  nessuno.

Personnel personale.
Persuader persuadere.
Perte perdita.
Peser pesare.
Petit piccolo.
Petit déjeuner colazione.
Petit-fils (Petite-fille) nipote.
Petits-enfants nipoti.
Petit pain panino.
Peu poco.
Peuple popolo.
Peur paura.
Peut-être forse.
Pharmacie farmacia.
Photographe fotografo.
Photographier fotografare.
Phrase frase.
Pièce *(morceau)* pezzo, *(monnaie)*
  moneta, spicciolo.
Pied piede.
Piège trappola.
Pierre pietra.
Piéton pedone.
Pile pila, batteria.
Pilote pilota.
Pilule pillola.
Pince pinza, *(à épiler)* pinzetta,
  (à linge) molletta per la
  biancheria.
Pinceau pennello.
Pipe pipa.
Piquant piccante.
Piquer pungere.
Piqûre puntura.
Pire peggio.
Piscine piscina.
Piste pista.
Pitié pietà.
Pittoresque pittoresco.
Placard armadio a muro.

Place piazza.
Plafond soffitto.
Plage spiaggia.
Plaindre compatire, compiangere.
Plaine pianura.
Plainte lamento, gemito.
Plaire piacere.
Plaisanterie scherzo.
Plaisir piacere.
Plan piano, pianta, mappa.
Plancher pavimento.
Plante pianta.
Plat piatto.
Plateau vassaio, *(géo.)* altipiano.
Plein(e) pieno (a).
Pleurer piangere.
Pliant(e) pieghevole.
Plier piegare.
Plomb piombo.
Plombage otturazione.
Plonger tuffarsi.
Pluie pioggia.
Plume piuma.
Plus più.
Plus ou moins più o meno.
Plusieurs molti, parecchi.
Plutôt piuttosto.
Pneu pneumatico.
Pneumonie polmonite.
Poche tasca.
Poêle *(à frire)* padella.
Poids peso.
Poignée maniglia.
Point punto.
Pointe punta.
Pointure numero.
Poire pera.
Poison veleno.
Poisson pesce.
Poissonnier pescivendolo.

Poitrine petto.
Poivron peperone.
Police polizia.
Politesse gentilezza.
Politique politica.
Pommade pomata.
Pomme mela.
Pompe pompa.
Pompier pompiere.
Pont ponte.
Populaire popolare.
Population popolazione.
Porc porco, *(viande)* maiale.
Porcelaine porcellana.
Port porto.
Portail portone.
Portatif portabile.
Porte porta.
Porte-clefs portachiave.
Portefeuille portafoglio.
Portemanteau attaccapanni.
Porte-monnaie portamonete.
Porter portare.
Porteur facchino, portatore.
Portier portinaio.
Portion porzione.
Portrait ritratto.
Poser posare.
Position posizione.
Posséder possedere.
Possession possessione.
Possibilité possibilità.
Poste posta.
Pot vaso.
Potable potabile.
Potage minestra.
Poteau palo, sostegno.
Poterie ceramica.
Poubelle pattumiera.
Pouce pollice.

Poudre polvere
Poulet pollo.
Poupée bambola.
Pour per.
Pourboire mancia.
Pourcentage percentuale.
Pour quoi per che cosa.
Pourquoi perchè.
Pourtant però.
Pousser spingere.
Poussière polvere.
Pouvoir potere.
Pratique pratica.
Pratiquer praticare.
Pré prato.
Précaution precauzione.
Précieux (se) prezioso (a).
Précision precisione.
Préférence preferenza.
Préférer preferire.
Premier (ère) primo (a).
Premiers secours primi soccorsi.
Prendre prendere.
Prénom nome.
Préoccupé preoccupato.
Préparé preparato.
Préparer preparare.
Près de vicino a.
Présenter presentare.
Préservatif preservativo.
Presque quasi.
Prêt(e) pronto (a).
Prêter prestare.
Prétexte pretesto.
Prêtre prete.
Preuve prova.
Prévenir informare, prevenire, avvertire.
Prévu previsto.
Prière preghiera.

Principal(e) principale.
Printemps primavera.
Prise spina.
– multiple spina multipla.
Prison prigione.
Privé(e) privato (a).
Prix prezzo,
    (récompense) premio.
Probabilité probabilità.
Probable probabile.
Problème problema.
Prochain(e) prossimo (a).
Prochainement prossimamente.
Proche vicino, presso, prossimo.
Procuration procura.
Procurer procurare.
Produire produrre.
Professeur professore.
Profession professione.
Profond(e) profondo (a).
Programme programma.
Progrès progresso.
Projet progetto.
Projeter progettare.
Prolonger prolungare.
Promenade passeggiata.
Promesse promessa.
Promettre promettere.
Promotion promozione.
Promptitude prontezza.
Prononcer pronunciare.
Prononciation pronuncia.
Propos (À) a proposito.
Proposer proporre.
Proposition proposizione.
Propre pulito.
Propriétaire proprietario.
Propriété proprietà.
Prospectus manifestino.
Prostituée prostituta.

Protection protezione.
Protestant(e) protestante.
Protester protestare.
Prouver provare.
Provisions provvisioni.
Provisoire provvisorio.
Proximité prossimità.
Prudent(e) prudente.
Public pubblico.
Publicité pubblicità.
Puce pulce.
Puis poi.
Puissant(e) potente.
Puits pozzo.
Punaise cimice.
Pur puro.
Pus pus.

Q

Quai scalo, banchina.
Qualifier qualificare.
Qualité qualità.
Quand quando.
Quantité quantità.
Quart quarto.
Quartier quartiere.
Que che.
Quel, quelle quale.
Quelles quali.
Quelque chose qualche cosa.
Quelquefois qualche volta.
Quelque part in qualche posto.
Quelques qualche.
Quelqu'un qualcuno.
Querelle disputa, litigio.
Qu'est-ce que che cosa.
Question domanda.
Queue coda.

Qui chi.
Quiconque qualunque.
Quincaillerie chincaglieria.
Quinine chinino.
Quittance quietanza.
Quitter lasciare.
Quoi che.
Quoique benché, quantunque.
Quotidien(ne) quotidiano (a).

R

Rabbin rabbino.
Raccommoder raccomodare.
Raccourcir accorciare.
Raconter raccontare.
Radiateur calorifero,
    termosifone.
Radio radio.
Radiographie radiografia.
Rafraîchissement rinfresco.
Rage rabbia.
Raide rigido (a).
Raisin uva.
Raison ragione.
Raisonnable ragionevole.
Ramer remare.
Rang rango.
Rapide rapido.
Rappeler richiamare.
Raquette racchetta.
Rare raro.
Raser (se) radere (rsi).
Rasoir rasoio.
Rat ratto, topo.
Ravissant(e) incantevole.
Rayon raggio, *(mag.)* reparto.
Réalité realtà.

Récemment recentemente.
Récépissé ricevuta.
Réception ricevimento, *(hôtel)* réception.
Recevoir ricevere.
Rechange ricambio.
Recharger ricambiare.
Réchaud fornello.
Recherche ricerca.
Récipient recipiente.
Réclamer reclamare.
Recommandation raccommandazione.
Recommander raccomandare.
Récompense ricompensa.
Récompenser ricompensare.
Reconnaissance riconoscenza.
Reconnaître riconoscere.
Rectangulaire rettangolare.
Reçu ricevuta.
Recueillir raccogliere.
Réduction riduzione, sconto.
Réel(le) reale.
Référer (se) riferire (rsi).
Refuser rifiutare.
Regard sguardo.
Regarder guardare.
Régime dieta.
Région regione.
Règle regola.
Règlement regolamento.
Régler sistemare.
Regret rimpianto.
Regretter rimpiangere.
Régulier (ère) regolare.
Régulièrement regolarmente.
Reine regina.
Réjouir rallegrare.
Relation relazione.

Relier rilegare.
Religieuse religiosa.
Religion religione.
Remboursement rimborso.
Remède rimedio.
Remerciement ringraziamento.
Remercier ringraziare.
Remise sconto.
Remorquer rimorchiare.
Remplacer rimpiazzare.
Remplir riempiere.
Remuer (se) muovere (rsi).
Rencontrer incontrare.
Rendez-vous appuntamento.
Rendre (se) rendere (rsi).
Renseignement informazione.
Renseigner (se) informare (rsi).
Réparation riparazione
Réparer riparare.
Repas pasto.
Repasser stirare.
Répéter ripetere.
Répondre rispondere.
Réponse risposta.
Repos riposo.
Reposer (se) riposare (rsi).
Représentation rappresentazione.
Réserve riserva.
Réserver riservare, *(place)* prenotare.
Résistant resistente.
Résoudre risolvere.
Respecter rispettare.
Respirer respirare.
Responsable responsabile.
Restaurant ristorante.
Rester restare.
Résultat risultato.
Retard ritardo.

Retarder ritardare.
Retenir trattenere.
Retour ritorno.
Rêve sogno.
Réveil sveglia.
Réveiller svegliare.
Revenir ritornare.
Révision revisione.
Rez-de-chaussée piano terra.
Rhume raffreddore.
Rhumatisme reumatismo.
Riche ricco.
Richesse ricchezza.
Rideau tenda, sipario.
Rien niente.
Rire ridere.
Rivière riviera.
Riz riso.
Robe vestito.
Robinet rubinetto.
Rocher roccia.
Roi re.
Rond rotondo.
Rond-point rotonda.
Rose rosa.
Rôti arrosto.
Rôtir arrostire.
Roue ruota.
Rouge rosso.
Rouler arrotolare, rotolare.
Route strada.
Royal(e) reale.
Rue via.
Ruelle stradina.
Ruisseau ruscello.
Rumeur rumore.
Rupture rottura.
Rusé(e) furbo (a).

S

Sa sua.
Sable sabbia.
Sac *(à main)* borsa, sacco.
Sachet sacchetto.
Saignant sanguinante.
Saignement perdita di sangue.
Saigner sanguinare.
Saint(e) santo (a).
Saisir afferrare.
Saison stagione.
Salade insalata.
Saleté sporcizia, porcheria.
Salle sala.
– à manger – da pranzo.
– d'attente – d'attesa.
– de bains – il bagno.
– de concert – da concerto.
Salon salone, salotto.
Saluer salutare.
Salut ! ciao, saluto, salve.
Samedi sabato.
Sandwich panino.
Sang sangue.
Sans senza.
Sans plomb benzina verde.
Santé salute.
Satisfait(e) soddisfatto (a).
Sauf salvo.
Sauter saltare.
Sauvage selvaggio, selvatico.
Sauver salvare.
Sauvetage salvataggio.
Savoir sapere.
Savon sapone.
Sec, sèche secco, secca.
Sécher seccare, asciugare.
Seconde secondo.
Secouer agitare.

Secourir soccorrere.
Secours soccorso.
Secret segreto.
Secrétaire segretaria.
Sécurité sicurezza.
Séjour soggiorno.
Séjourner soggiornare.
Sel sale.
Selon moi secondo me.
Semaine settimana.
Semelle suola.
Sens senso.
Sentier sentiero.
Sentiment sentimento.
Sentir sentire.
Séparer separare.
Septembre settembre.
Sermon sermone, predica.
Serpent serpente.
Serré stretto.
Serrure serratura.
Serveur (se) cameriere (a).
Service servizio.
Serviette *(table)* tovagliolo,
    (bain) asciugamano.
Servir servire.
Seul(e) solo (a).
Seulement solamente.
Sexe sesso.
Si se.
Siècle secolo.
Siège sedia, sedile.
Signal segnale.
Signalement segnalazione.
Signaler segnalare.
Signature firma.
Signe segno.
Signer firmare.
Signification significato.
Signifier significare.

S'il vous plaît per favore.
Silence silenzio.
Silencieux silenzioso.
Simple semplice.
Sincère sincero.
Sinon sennò.
Site luogo, sito.
Situation situazione.
Skier sciare.
Sobre sobrio.
Sœur sorella.
Soie seta.
Soif sete.
Soigner curare.
Soin cura.
Soir sera.
Soirée serata.
Sol suolo.
Soldat soldato.
Soldes saldi.
Soleil sole.
Solennel solenne.
Solide solido.
Sombre oscuro, buio.
Somme somma.
Sommeil sonno.
Sommet sommità, vetta.
Somnifère sonnifero.
Son suono, *(pron.)* suo.
Sonnette campanello.
Sorte specie, sorta.
Sortie uscita.
Sortir uscire.
Souci preoccupazione.
Soucieux (se) preoccupato (a).
Soudain *(adv.)* all'improvviso.
Souffle soffio.
Souffrir soffrire.
Soulever sollevare.
Soupe zuppa, minestra.

Sourd sordo.
Souris topo.
Sous sotto.
Sous-vêtements biancheria intima.
Soutien appoggio.
Souvenir ricordo.
Souvenir (se) ricordarsi.
Souvent spesso.
Spécial(e) speciale.
Spectacle spettacolo.
Spectateur spettatore.
Splendide splendido.
Sport sport.
Stade stadio.
Station stazione.
Stationnement sosta.
Stationner sostare.
Stop stop, alt.
Stupide stupido.
Succès successo.
Succursale succursale.
Sucre zucchero.
Sucré zuccherato.
Sud sud.
Sud-est sud-est.
Sud-ouest sud-ovest.
Suffire bastare.
Suisse Svizzera.
Suite seguito.
Suivant(e) seguente.
Suivre seguire.
Sujet soggetto.
Superflu(e) superfluo (a).
Supplément supplemento.
Supporter sopportare.
Supposer supporre.
Supposition supposizione.
Suppression soppressione.
Sur sopra.

Sûr(e) sicuro (a).
Surcharge sovraccarico.
Sûrement sicuramente.
Surpayer pagare di più.
Surpris sorpreso.
Surtaxe supplemento di tassa.
Surveillance sorveglianza, vigilanza.
Suspendre sospendere.

T

Ta tua.
Tabac tabacco.
Table tavola.
Tableau quadro.
Tabouret sgabello.
Tache macchia.
Taché macchiato.
Taille taglia.
Tailleur sarto.
Taire tacere.
Talon calcagno, *(chaussure)* tacco.
Tampons timbri, *(hyg.)* assorbenti interni.
Tant tanto.
Tant que tanto che.
Tante zia.
Tard tardi.
Tarif tariffa.
Tasse tazza.
Taureau toro.
Taux de change tasso di cambio.
Taxe tassa.
Taxi taxi.
Teinte tinta.
Teinture tintura.
Teinturerie tintoria.
Tel tale.

Télégramme telegramma.
Télégraphier telegrafare.
Téléphone telefono.
Téléphoner telefonare.
Télévision tivù, televisione.
Témoignage testimonianza.
Témoin testimone.
Température temperatura,
  (méd.) febbre.
Tempête tempesta.
Temps tempo.
Tendre tenero, *(verbe)* tendere.
Tenir tenere.
Tension tensione,
  (méd.) pressione.
Tente tenda.
Terminer terminare, finire.
Terminus capolinea.
Terrain terreno.
Terre terra.
Terrible terribile.
Tête testa.
Thé tè.
Thermomètre termometro.
Timbre francobollo.
Timide timido (a).
Tir tiro.
Tire-bouchon cavatappi.
Tirer tirare.
Tiroir cassetto.
Tissu tessuto.
Toi tu, te.
Toile tela.
Toilettes gabinetto ; toilette.
Toit tetto.
Tomate pomodoro.
Tomber cadere.
Ton tuo.
Tonne tonnellata.
Torchon straccio.

Tôt presto.
Total totale.
Toucher toccare.
Toujours sempre.
Tour turno, *(bât.)* torre.
Tourisme turismo.
Touriste turista.
Tout, toute, tous, toutes tutto,
  tutta, tutti, tutte.
Tout de suite subito.
Toux tosse.
Toxique tossico.
Trace traccia.
Traditionnel(le) tradizionale.
Traduction traduzione.
Traduire tradurre.
Train treno.
Traitement trattamento.
Trajet tragitto.
Tram tram.
Tranche fetta.
Tranquille tranquillo.
Tranquillisant tranquillante.
Transférer trasferire.
Transformateur trasformatore.
Transit transito.
Transmission trasmissione.
Transparent transparente.
Transpirer sudare.
Transporter trasportare.
Travail lavoro.
Travailler lavorare.
Travers (à) attraverso.
Traversée traversata.
Trempé fradicio, bagnato.
Très molto.
Triangle triangolo.
Tribunal tribunale.
Troisième terzo.
Tromper (se) sbagliare (rsi).

Trop troppo.
Trottoir marciapiede.
Trousse astuccio, *(toil.)* beauty case.
Trouver trovare.
Tu tu.
Tumeur tumore.
Tunnel tunnel, galleria.
Tuyau tubo.
Tympan timpano.
Typique tipico.
Tyrol Tirolo.

U

Ulcère ulcera.
Un, une un, una.
Uni unito.
Uniforme uniforme.
Unique unico.
Urgence urgenza.
Urgent(e) urgente.
Urine orina.
Usage uso.
Usine fabbrica.
Ustensile utensile.
Usuel(le) usuale.
Utile utile.
Utiliser utilizzare.

V

Vacances vacanze.
Vaccin vaccino.
Vaccination vaccinazione.
Vache vacca, *(laitière)* mucca.
Vague *(adj.)* vago, *(mer)* onda.
Vaisselle stoviglie.
Valable valido.

Valeur valore.
Valide valido.
Validité validità.
Valise valigia.
Vallée valle.
Valoir valere.
Varier variare.
Variété varietà.
Vaseline vasellina.
Vatican Vaticano.
Veau vitello.
Végétarien vegetariano.
Véhicule veicolo.
Velours velluto.
Vendeur commesso, venditore.
Vendre vendere.
Vendredi venerdì.
Vendu venduto.
Venir venire.
Vent vento.
Vente vendita.
Ventilateur ventilatore.
Ventre ventre.
Verglas lieve strato di ghiaccio.
Vérifier verificare.
Vérité verità.
Verre vetro, *(p. boire)* bicchiere.
Verrou catenaccio.
Vers verso.
Vert(e) verde.
Veste giacca.
Vêtement abito, vestito.
Vexé offeso.
Viande carne.
Vide vuoto.
Vie vita.
Vieille vecchia.
Vieux vecchio.
Vignoble vigna.
Vigoureux (se) vigoroso (a).

Villa villa.
Village villaggio.
Ville città.
Vin vino.
Vinaigre aceto.
Virer stornare, voltare.
Vis vite.
Visage viso.
Visibilité visibilità.
Visible visibile.
Visite visita.
Vite presto, rapidamente.
Vitesse velocità.
Vitre vetro.
Vitrine vetrina.
Vivant vivente.
Vivre vivere.
Voie via, strada.
Voir vedere.
Voisin(e) vicino (a).
Voiture vettura, macchina, automobile.
Voix voce.
Vol *(valeur)* furto, *(avion)* volo.
Voleur (se) ladro (a).

Volonté volontà.
Volontiers volentieri.
Vomir vomitare.
Voter votare.
Votre vostro.
Vous voi.
Voyage viaggio.
Voyager viaggiare.
Voyageur viaggiatore.
Vrai vero.
Vraiment veramente.
Vue vista.
Vulgaire volgare.
Vulnérable vulnerabile.

W – Z

Wagon-lit vagone-letto.
Wagon-restaurant vagone-ristorante.
W.C. (toilettes) gabinetto, toilette.

Zéro zero.
Zone zona.

INDEX

Famille 26.
Fêtes : *voir* Jours fériés 27.
Fleuriste 136.
Fruits 137.

Garage : *voir* Voiture (garage) 57.
Gare : *voir* Train 87.
Gare routière : *voir* Autobus 65.
Habillement 139.
Hi-fi : *voir* Appareils électriques 121.
Hôpital : *voir* Santé (hôpital/médecin) 47.
Horlogerie : *voir* Bijouterie 125.
Hôtel 102.
Hygiène : *voir* Parfumerie 147, Santé (pharmacie) 52.

Immigration : *voir* Douane 80.

Jeux : *voir* Distractions 160.
    Voir aussi Sports 167.
Joaillerie : *voir* Bijouterie 125.
Jours fériés 27.

Légumes : *voir* Fruits et légumes 137.
Librairie : *voir* Papeterie 145.
Lingerie : *voir* Habillement 139.
Loisirs : *voir* Distractions 160.
    Voir aussi Sports 167.
Lunettes : *voir* Opticien 143.

Maladie : *voir* Santé 44.
Médecin : *voir* Santé (hôpital/médecin) 47.
Mesures 28.
Métro 83.
Monnaie : *voir* Banque 123.
Montagne : *voir* Sports (montagne) 172.
Monuments : *voir* Visites touristiques 177.
Moto : *voir* Voiture 91.
Musées : *voir* Visites touristiques 177.

Nature 164.
Nombres 29.

Opticien 143.

Panne : *voir* Voiture (panne) 58.
Panneaux routiers 77.
Papeterie 145.
Parenté : *voir* Famille 26.
Parfumerie 147.
Pâtisserie : *voir* Boulangerie 128.
Pêche : *voir* Sports (sports nautiques, pêche) 174.
Petit déjeuner : *voir* Hôtel 109.
Pharmacie : *voir* Santé (pharmacie) 52.
Photographie 149.
Poids : *voir* Mesures 28.
Poissonnerie 151.
Police 42.
Politesse 31.
Poste 152.
Prêt-à-porter : *voir* Habillement 139.

Méthode
90

ITALIEN
Débutant

PRATIQUE
DE BASE

ITALIEN

GRAMMAIRE
ACTIVE

*Exposé des règles,
exercices et corrigés*

Composition réalisée par NORD COMPO

Imprimé en France sur Presse Offset par

BRODARD & TAUPIN

GROUPE CPI

La Flèche (Sarthe).
N° d'imprimeur : 16149 – Dépôt légal Éditeur. 29682-01/2003
LIBRAIRIE GÉNÉRALE FRANÇAISE - 43, quai de Grenelle - 75015 Paris.
ISBN : 2 - 253 - 08776 - 9